D1250438

L'ISLAM
ET LES MUSULMANS

Jean-René Milot

L'ISLAM ET LES MUSULMANS

FIDES

Données de catalogage avant publication (Canada)

Milot, Jean-René
L'Islam et les musulmans
Éd. revue et augm.
Publ. antérieurement sous le titre: L'Islam et les musulmans © 1975
Publié à l'origine dans la coll.: Regards scientifiques sur les religions.
Comprend des réf. bibliogr. et des index

ISBN 2-7621-1631-7

1. Islam.
2. Mahomet, le prophète, m. 632.
I. Titre.
II. Titre: L'Islam et les musulmans.
BP161.2.M54 1993 297 C93-096029-7

Dépôt légal: 1er trimestre 1993
Bibliothèque nationale du Québec

Avant-propos

«L'Islam fait peur», clame la télé et titrent les magazines à grand tirage. Aux mots se joignent les images: une horde de manifestants se rue sur une ambassade; des femmes voilées, vêtues de noir de la tête aux pieds, se détournent de la caméra; un imam soulève une foule de croyants en scandant le slogan du parti islamique devant la photo d'un candidat; un navire explose sur une mine dans un détroit du golfe Arabo-Persique; un chef d'État s'écroule sous les balles d'extrémistes religieux; des maquisards, la prière à peine terminée, mitraillent un convoi de blindés; des familles africaines fuient une région où l'instauration de la Loi islamique a déclenché un mouvement de sécession.

Les médias exploitent peut-être la peur, mais ils ne la créent pas de toute pièce. Si l'Islam effraie, c'est, le plus souvent, à cause de la soudaineté avec laquelle il a fait irruption dans notre champ de vision. Cette peur découle également du peu de connaissance ou de la méconnaissance que nous avons de cette religion.

Il y a un peu plus de vingt ans, l'Islam suscitait beaucoup plus la curiosité que la peur: les croyants musulmans étaient certes encore très nombreux, mais l'Islam lui-même semblait avoir quitté la place publique pour se réfugier dans la mosquée, en attendant d'être relégué au musée, disaient certains. Mais voilà que l'Islam se réveille en sursaut et bondit à l'avant-plan; dans un laps de temps relativement court — en fait depuis la crise du pétrole de 1973 et la révolution iranienne de 1979 —, les événements se précipitent tout en se rapprochant de nous. Se réclamant de l'Islam, des individus et des collectivités font face à l'Occident, occupent la scène politique internationale, ébranlent l'économie mondiale.

Dans ce contexte, on comprendra pourquoi l'Islam est devenu, pour un certain nombre de personnes, une source d'appréhension. Si nous nous en tenons à une image projetée par l'actualité immédiate, il risque fort de nous apparaître sous les traits menaçants d'un militantisme sectaire, d'un impérialisme religieux et d'une dictature cléricale piétinant les droits de l'homme pour faire triompher ceux de Dieu.

Pour avoir été lui-même confronté aux questions qui se posent et que posent les médias face à l'actualité, l'auteur de ce livre sait combien il est difficile de prendre des distances par rapport aux événements immédiats et aux craintes qu'ils peuvent susciter. Mais il sait aussi combien il peut être enrichissant de sortir de ses propres schèmes culturels et d'entrer dans un univers qui se présente comme celui de «l'autre», pour finalement se retrouver près de chez soi en train d'y inventorier un héritage qui, au fond, est celui de toute l'humanité, notre héritage tout autant que celui des musulmans.

Au début des années 1970, au moment où prenait forme la première édition de cet ouvrage, l'Islam était envisagé d'abord et avant tout comme une matière faisant partie de l'enseignement; la présentation même de l'édition respectait cette préoccupation didactique.

Tout en restant fidèle au souci de clarté et de rigueur lié à l'enseignement, la présente édition a été revue et augmentée en tenant compte de l'évolution rapide décrite plus haut. Il ne s'agit plus seulement de couvrir adéquatement une matière académique, mais de comprendre ces événements actuels qui nous interpellent jusque dans notre quotidien, ne serait-ce que par une présence médiatique. L'Islam, ce n'est plus autrefois et ailleurs, c'est maintenant et jusqu'ici.

La visibilité nouvelle et la vigueur accrue de l'Islam nous fournissent une motivation supplémentaire pour aller au-delà de l'immédiat, agrandir notre champ de vision, relativiser le présent en le situant en perspective par rapport à la profondeur de ses racines dans l'histoire. Savoir comment est apparu l'Islam, comment il a su puiser, à même le relatif des cultures, les façons de dire et de vivre sa croyance en un absolu, c'est se mettre en état de mieux saisir le système de valeurs où s'enracine le vécu des musulmans. Connaître les tensions qui, de l'intérieur aussi bien que de l'extérieur, ont agité la collectivité musulmane au cours des diverses étapes de sa croissance, c'est se sensibiliser à un processus dynamique où la fermentation actuelle apparaît comme une phase transitoire dans l'évolution incessante de l'Islam et des musulmans dans l'histoire.

À la faveur des entrevues, des conférences et des cours qu'il a été amené à donner en réponse à une demande croissante d'information sur le monde musulman, l'auteur de cet ouvrage a acquis la conviction qu'ils sont de plus en plus nombreux ceux et celles qui veulent aller au-delà des clichés habituels afin de mieux saisir la réalité complexe qu'est l'Islam, de même que la physionomie variée des humains qui s'en réclament. C'est pour répondre à ces attentes que la présente réédition a été entreprise. L'auteur espère que le lecteur y trouvera un guide accessible et fiable.

Jean-René Milot
Montréal, janvier 1993

Notes techniques

1. Afin de rendre ce volume plus accessible au grand public, nous avons simplifié le système de translitération des termes arabes, de sorte que l'écriture se rapproche le plus possible de la prononciation originelle. Il reste toutefois quelques cas où l'équivalence phonétique est moins évidente:

dh = *th* anglais comme dans *that*
gh = *r* grasseyé
s = *ss*
w = *w* anglais
' = arrêt vocal séparant deux sons
' = son guttural, sans équivalent en français ou en anglais

2. Dans une citation, les crochets ([ ]) indiquent un ajout au texte littéral original.

3. Pour les citations du Coran, la numérotation des versets est celle du texte arabe officiel édité au Caire en 1923. La traduction, faite en regard de ce texte arabe, s'inspire des traductions de A. J. Arberry, *The Koran Interpreted* (Londres, Allen & Unwin, 1963), de Marmaduke Pickthall, *The Meaning of the Glorious Qur'an* (Hyderabad, Government Central Press, 1938), et surtout de l'excellente traduction de Denise Masson, *Le Coran* (Paris, Gallimard, Bibliothèque de la Pléiade, 1967, ou Coll. «Folio», 1980, 2 tomes).

Dans le présent ouvrage, les références au Coran seront faites de la façon suivante: le chiffre qui suit «Cor.» indique le chapitre du Coran, et le chiffre qui suit les deux points (:) indique le(s) verset(s); par exemple: Cor. 93:6-8 signifie: Coran, chapitre 93, versets 6 à 8.

INTRODUCTION

«Islam» et «musulmans»

Aujourd'hui, près d'un milliard d'êtres humains professent une foi et un engagement religieux qu'ils nomment «Islam».

Dans la plupart des cas, les noms donnés aux grandes religions ont été adoptés par des gens de l'extérieur afin de désigner une religion différente de la leur. Le terme «Islam», quant à lui, désigne directement et de l'intérieur l'expérience religieuse de ses adeptes, qui se nomment eux-mêmes «musulmans».

Le mot «Islam» est un terme arabe issu d'un verbe évoquant les idées suivantes: accepter, consentir, se soumettre, s'en remettre. En prêchant l'Islam, le Prophète Mohammed invitait ses compatriotes arabes à se soumettre et à s'en remettre à Allah, dieu unique et tout-puissant. Mais la forme grammaticale du mot «Islam», aussi bien que la vie des «musulmans» (littéralement: «ceux qui se soumettent, s'en remettent à Allah[1]») indiquent clairement qu'il ne s'agit pas d'une soumission passive et réalisée une fois pour toutes, mais

---

1. De la même racine arabe *slm* sont issus les mots «I*slam*» et, pour désigner les adeptes de cette religion, les mots «Mu*slim*» ou «Mo*slem*» (adoptés par la langue anglaise) et le mot «Mu*sulm*an» (forme persane adoptée par la langue française).

d'une ATTITUDE et d'une activité qui se répètent et se renouvellent constamment tout au long de la vie du croyant.

Avec le temps, le mot «Islam» en est arrivé à signifier également la RELIGION (c'est-à-dire l'ensemble des croyances et des pratiques qui traduisent concrètement l'attitude globale de soumission), de même que la COLLECTIVITÉ de ceux qui professent cette attitude et cette religion. Ainsi, aujourd'hui, celui qui dit de façon réfléchie: «Je suis musulman», dit en réalité trois choses: *(1)* «Je m'en remets constamment à Allah» (ATTITUDE); *(2)* «Je professe une RELIGION qu'on appelle Islam»; *(3)* «J'appartiens à la COLLECTIVITÉ de ceux qui professent l'Islam.»

Dans la mesure où l'utilisation des mots reflète la compréhension qu'on a des réalités, on préférera utiliser les termes «musulman» et «Islam» plutôt que «mahométan» et «mahométanisme». Ces deux derniers termes, en se référant à Mohammed, prophète de l'Islam, peuvent laisser sous-entendre que le messager est plus important que le message. Cette priorité accordée au messager n'étant pas conforme à la conviction profonde des musulmans, ces termes sont donc généralement rejetés.

Par ailleurs, les termes «Islam» et «islamisme» ne sont pas interchangeables. Selon le dictionnaire Larousse, «islamisme» désigne la doctrine de l'Islam, qui n'est elle-même qu'une composante de cette religion. On sait d'autre part que le mot «islamisme» désigne depuis peu une idéologie dérivée de l'Islam et inspirant l'action politique des «islamistes» en vue de prendre le pouvoir et d'instaurer une société fondée sur une compréhension «pure et dure» de l'Islam. Cette idéologie est loin de rallier tous les musulmans.

On évitera donc bien des malentendus, que ce soit dans l'étude de l'Islam ou dans les relations avec les musulmans, en n'utilisant que les termes «Islam» et «musulmans» pour désigner la religion et les personnes qui la professent.

Les musulmans dans le monde

Quand on dit «Islam», on pense volontiers à «Arabe», l'Arabie étant en fait le berceau de l'Islam dans la mesure où le prophète de l'Islam et les premiers musulmans étaient des Arabes. Mais aujourd'hui, l'Islam déborde largement les pays arabes: il y a en effet plus de musulmans en Indonésie que dans tous les pays arabes réunis. Un coup d'œil sur la carte des musulmans dans le monde, à la page suivante, indique clairement que l'Islam ne connaît pas de frontière de race ou de culture.

Il est cependant impossible de fournir des chiffres précis au sujet du nombre de musulmans dans le monde: le chiffre avancé plus haut (près de 1 milliard) représente en fait l'estimation maximale donnée par divers relevés; le tableau qui suit la carte est lui-même très approximatif.

Cette imprécision des chiffres tient à bien des facteurs. On ne possède pas de statistiques fiables concernant la population musulmane en Chine et dans d'autres régions éloignées; en outre, le taux de natalité, dans plusieurs pays à majorité musulmane, est très élevé, et l'accroissement de la population y est irrégulier en raison de contingences politiques ou de catastrophes naturelles qui déciment les habitants ou provoquent des déplacements massifs de population.

L'immigration des musulmans dans les grands centres nord-américains et l'apparition des «musulmans noirs» (*Black Muslims*) aux États-Unis font de l'Islam une réalité qui est passée graduellement du domaine de l'imagination exotique (les contes des *Mille et une nuits*) à celui de la rencontre quotidienne.

Optique de l'ouvrage

En tant que fait religieux historique et actuel, l'Islam est une réalité très complexe. Il serait pour le moins prétentieux de vouloir en donner, dans un ouvrage comme celui-ci, une vue complète et pleinement fidèle.

Les musulmans dans le monde

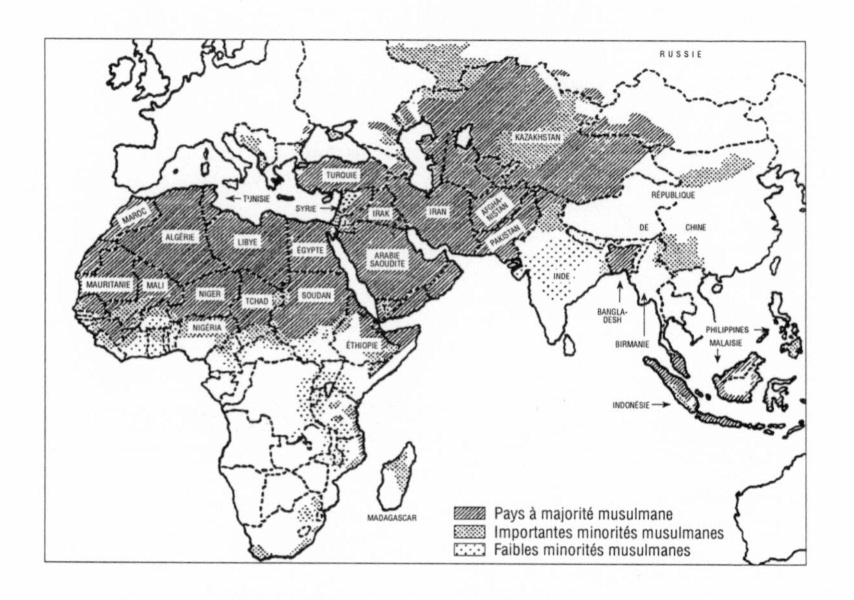

Population musulmane, en millions, par région, selon le pourcentage qu'elle représente dans chaque pays

Région	*> 50 %*	*10-40%*	*< 10%*
Moyen-Orient arabe	105	2	
Moyen-Orient non arabe et Asie centrale	237		
Maghreb	53		
Afrique sub-saharienne	124	32	4
Asie (sous-continent, Extrême-Orient)	231	207	2
Europe	2	8	7
Amériques			4

Quel que soit le nombre de pages dont l'auteur dispose, il se heurte toujours à la question de l'objectivité: dans quelle mesure une présentation écrite correspond-elle à la réalité? Ou encore: dans quelle mesure un musulman reconnaîtrait-il dans cet écrit ce qui fait la densité, l'épaisseur de son vécu en tant que croyant?

À ces questions fondamentales à toute entreprise de connaissance, l'auteur de cet ouvrage ne peut apporter qu'une seule réponse: lorsqu'on observe un fait religieux, on est toujours situé à *un* point de vue, on considère toujours les faits selon un certain point de vue, sans nécessairement s'en rendre compte. Cette réalité n'est pas propre au domaine religieux: les photos de la terre prises à bord de cabines spatiales montrent la vue que l'on a lorsqu'on est situé à un point précis de l'espace; si ce point change, la vue de la terre changera aussi; et si l'on multiplie les points de vue, on finira par avoir une image d'ensemble. Image qui ne sera en rien pareille à celle que l'on a quand on est sur la terre.

C'est pourquoi la première démarche d'objectivité consiste à prendre conscience de sa subjectivité, c'est-à-dire du point de vue où l'on se place pour parler d'une réalité. À une période de l'histoire où l'Islam était perçu comme une menace politique et religieuse pour l'Occident, certains auteurs l'ont présenté sous des traits peu flatteurs, à la manière dont la propagande de guerre moderne présente l'ennemi. Plus tard, à la suite des succès coloniaux obtenus aux dépens des pays musulmans, l'Islam a été considéré par beaucoup d'Occidentaux comme une religion inférieure dont il fallait souhaiter la disparition afin d'assurer, croyait-on, le «progrès» des pays islamiques. En réaction contre ce procès qu'ils jugeaient injuste, des auteurs chrétiens aussi bien que musulmans se sont appliqués à défendre l'Islam et à faire ressortir les côtés par lesquels cette religion se rapproche du christianisme ou lui est supérieure. En bref, un courant de revalorisation de l'Islam a succédé au courant de dévalorisation qui avait souvent prévalu jusque-là.

Le premier défi que voudrait relever le présent ouvrage consiste à essayer de décrire l'Islam plutôt que de l'évaluer. Il ne s'agit donc pas de le critiquer ou de le défendre, mais de dire *ce qu'il est,* de quoi il est fait.

Le deuxième défi, plus redoutable encore, vise à comprendre l'Islam plutôt qu'à le juger. Il ne s'agit pas seulement de décrire les composantes de l'Islam comme des points juxtaposés, mais de voir de quelle manière ces points forment une ligne: autrement dit, de déceler les articulations qui rendent les divers aspects de l'Islam intelligibles en un tout cohérent et signifiant.

Dans cette optique, les questions qui se posent ne sont donc pas: l'Islam est-il une bonne ou une mauvaise religion? ou: l'Islam est-il supérieur ou inférieur à d'autres religions? Elles sont tout simplement: qu'est-ce que l'Islam? comment tient-il ensemble? (C'est-à-dire: quelle en est la cohérence interne?)

Écrit par un non-musulman et s'adressant d'abord à des non-musulmans, ce volume ne prétend donc pas représenter l'Islam tel qu'il apparaît de l'intérieur au croyant musulman. L'Islam est observé de l'extérieur, à travers la lunette des sciences de la religion.

À certains moments, il arrivera cependant que l'auteur — qui prendra soin de l'indiquer — évoque ce que l'on peut voir à travers la lunette du croyant musulman. Ces observations se feront non par esprit de concession ou d'accommodement, mais par souci scientifique: la vision du croyant est un fait observable que l'on ne peut ignorer sans s'exposer à ne comprendre qu'une partie de la religion et de la vie de ses adeptes.

Dans la mesure où une telle comparaison a sa place ici, disons qu'en décrivant les pièces et le fonctionnement d'une moto on peut la comprendre en tant que phénomène mécanique, mais que si l'on peut également décrire ce qu'elle représente pour les jeunes d'aujourd'hui, on rend plus intelligible à la fois la réalité «moto» et l'engouement des jeunes pour ce sport, sans pour autant le condamner ou l'approuver.

D'une manière analogue, on peut dire que le fait religieux actuel de l'Islam n'est pas seulement un ensemble de croyances, de pratiques, d'institutions et d'histoire, mais que c'est aussi ce que ces réalités représentent et signifient pour le croyant musulman.

1

LE PROPHÈTE MOHAMMED

La figure centrale dans l'histoire de l'Islam est sans contredit Mohammed ibn 'Abdallah (Mahomet), né à La Mecque, en Arabie, vers 570 après Jésus Christ. Selon les historiens musulmans, c'est à l'âge de quarante ans (certains disent quarante-trois), que Mohammed reçut la mission divine de devenir le prophète d'Allah auprès de son peuple. C'est alors que commença à lui parvenir la série de révélations colligées dans le Coran. Mohammed assuma un rôle qui fut d'abord très impopulaire: celui d'avertisseur religieux, de réformateur et de prédicateur. Un peu plus de vingt ans plus tard — au moment de sa mort en 632 — il avait réuni un grand nombre d'adhérents et établi à Médine un État basé sur la soumission active à Dieu et à son Prophète. Il avait de plus réalisé ce que personne avant lui n'avait réussi à faire: unifier pratiquement toute l'Arabie sous son commandement.

L'image de Mohammed

Chronologiquement, Mohammed est plus près de nous que ne le sont Bouddha, Confucius et Jésus Christ. L'étude de sa vie n'en présente pas moins de sérieuses difficultés pour l'historien.

Elles résident tout d'abord dans les sources[1]. Les premières biographies écrites du Prophète présentent un matériel abondant, mais elles datent de plus d'un siècle après sa mort. Les historiens occidentaux se montrent très sceptiques — peut-être exagérément — à l'égard de ces écrits dans lesquels il n'est pas facile de faire le partage entre les faits bruts et les enjolivements que la piété musulmane y a ajoutés.

En revanche, ces mêmes historiens occidentaux considèrent le Coran comme une source beaucoup plus sûre, du fait que ce texte est plus près du Prophète et a été fidèlement transmis. Mais pour les musulmans, le Coran est un livre sacré et éternel, dicté par Dieu; ce n'est pas un document humain produit par le génie de Mohammed, contrairement à ce que présupposent souvent les Occidentaux lorsqu'ils veulent retracer, dans le Coran, la personnalité du Prophète, de la même manière qu'ils voient un auteur à travers ses écrits. Sans minimiser ce problème épineux, on peut dire que certains passages du Coran font référence à des événements et à des traits de la vie de Mohammed; même si la visée profonde de ces passages n'est pas de renseigner l'historien, celui-ci peut y trouver des informations précieuses, et les historiens musulmans eux-mêmes ont utilisé ces versets[2] sans pour autant mettre en doute l'origine divine du Coran.

En essayant de combler leur curiosité laissée en appétit par les sources, les historiens ont dépassé le schéma biographique assez réduit qui émerge clairement de ces mêmes sources.

---

1. Sur cette question, voir l'étude critique de Régis BLACHÈRE, *Le problème de Mahomet,* Paris, PUF, 1952.

2. Voir, par exemple, la *Chronique* de l'historien TABARI (passages traduits dans *Mahomet, le mémorial des siècles,* établi par Gérard WALTER, Paris, Albin Michel, 1965, p. 131-300).

C'est ainsi qu'on se retrouve aujourd'hui devant plusieurs images de Mohammed reflétant les divers points de vue d'où l'on a observé le Prophète. Le tableau que nous présentons (p. 24-26) est trop simplifié pour être vraiment exact, mais il donne une idée de cette diversité des approches. Dresser un tel tableau, c'est en même temps suggérer le caractère bien relatif des pages qui suivent: on y verra *une* présentation du Prophète de l'Islam, entre bien d'autres possibles.

L'Arabie avant l'Islam

Si l'on veut se représenter la dimension humaine de Mohammed et du message qu'il apportait, il faut replacer le Prophète dans un tableau à l'échelle de son temps et de son milieu. Bien que présentant une rupture par rapport à certaines valeurs et coutumes de l'Arabie du VIIe siècle, l'Islam englobait des éléments de continuité dans la vie des hommes auxquels il s'adressait.

Sur le plan géographique

L'Arabie est une péninsule formant une vaste plate-forme qui s'élève abruptement de la mer Rouge à l'ouest, se poursuit en un plateau désertique et s'incline plus doucement vers le golfe Persique à l'est. Les régions du sud, tournées vers l'océan Indien et profitant ainsi de la mousson, sont favorables à l'agriculture et à la vie sédentaire; le centre et le nord, au contraire, ne connaissent que des pluies rares et irrégulières, ce qui en fait le domaine des bédouins nomades vivant surtout d'élevage (chameau, chèvre, mouton), dans une mobilité imposée par la recherche des pâturages saisonniers et par la traite avec les habitants des oasis. Les oasis de Yathrib (la future Médine), Ta'if et Khaybar, ainsi que la ville caravanière de La Mecque, jouissent d'une situation exceptionnelle sur la façade ouest, qui est en général escarpée et inhospitalière.

A. Mohammed vu par les Occidentaux

Époque	*Contexte*	*Mohammed est présenté comme*
Moyen Âge: légende populaire (héritée de l'Orient chrétien)	— Islam = une foi rivale = une menace politique et économique — entreprise des croisades	— un (chrétien) apostat ou l'élève d'un apostat — faux prophète: • sous l'inspiration du diable • prêche l'hérésie et les plaisirs charnels • déchire «la tunique sans couture de l'Église universelle»
Courant intellectuel: • Moyen Âge (12e - 13e s.) • Renaissance (15e - 16e s.)	— on traduit de l'arabe au latin les œuvres des philosophes grecs qui avaient été préservées par les musulmans — effort de connaissance directe de l'Islam (première traduction du Coran) — malgré une certaine sympathie intellectuelle, on veut mieux connaître l'Islam pour mieux le réfuter	— la légende populaire prend plusieurs versions mais domine toujours
La Réforme (16e s.)	— chez les Réformés (Luther, Mélanchton), on craint qu'il y ait alliance entre le pape et l'Islam	— persistance du courant populaire — Mohammed = l'Antéchrist (esprit du mal, sème l'impiété)
Philosophie des lumières (18e s.)	— remise en question des doctrines et des valeurs traditionnelles — croyance au progrès humain universel — usage libre de la raison	— *courant bienveillant:* Mohammed = • type du libre penseur qui boulverse les croyances universelles • un sage législateur qui érige une religion naturelle conforme à la raison — *courant critique:* Mohammed = un traître sanguinaire qui fait horreur au sens humanitaire

Époque	*Contexte*	*Mohammed est présenté comme*
Romantisme (18e - 19e s.)	— réaction du sentiment contre la raison: accent sur l'imagination, l'émotion — goût du mystère, du fantastique, du rêve, du passé, de ce qui est étranger — exaltation de l'homme ordinaire, de l'homme primitif	— un héros qui réveille l'énergie dormante de son peuple grâce à son contact mystique avec l'Absolu et à la mission qui en découle — modèle du génie créateur: par son éloquence et son talent, il fonde un empire spirituel et plusieurs empires terrestres
Orientalisme (histoire et philologie orientales) (1850 à aujourd'hui)	— esprit positiviste: on refuse de se fier aux impressions subjectives, à la tradition (croyances, explications théologiques) — on veut fonder la connaissance sur des faits — on publie et on traduit les sources arabes concernant la vie de Mohammed	par une étude méticuleuse et critique des textes, — Mohammed est replacé dans le contexte historique de son temps — on vise à le présenter plutôt qu'à le juger (on veut constater les faits sans les interpréter)
Historiens modernes (20e s.)	— on dépasse la simple constatation des faits: on veut découvrir les lois qui en gouvernent l'enchaînement — on interprète les faits, on les comprend subjectivement selon le courant de pensée où l'on se situe	— on prend pour acquis la sincérité fondamentale de Mohammed — on privilégie un aspect ou l'autre de son message et de son œuvre, par exemple: — *courant sociologique:* Mohammed = un révolutionnaire social • indigné par la répartition inégale des richesses à La Mecque • désire une société humaine juste — *courant psychologique*: on essaie d'expliquer les révélations et l'influence de Mohammed par des traits de sa personnalité et de son comportement

B. Mohammed vu par les musulmans

Époque	*Contexte*	*Mohammed est présenté comme*
Le Coran, Mohammed lui-même, une partie de la Tradition	Naissance de l'Islam	— humain, sujet à des faiblesses, investi de la dignité de Prophète d'Allah — messager qui transmet fidèlement en langue arabe le Coran, Parole d'Allah — pas d'autre miracle que l'inimitabilité du Coran qui, en stricte Tradition, n'est pas attribuée à Mohammed lui-même mais à Allah
Légende populaire (1re strate)	Contacts avec le christianisme et les religions orientales	— sa naissance est entourée de faits surnaturels, de prodiges — lui-même fait des miracles — il est protégé de toute erreur et de toute faute par faveur divine
(2e strate)	On veut défendre le Prophète contre les attaques diverses et répondre à la montée du culte des saints chez les soufis (mystiques)	— Mohammed = un saint, modèle de toutes les vertus ici-bas — au ciel, intercède pour les croyants
Certains mystiques	Influence de la philosophie néo-platonicienne	— Mohammed = Logos présent de toute éternité dans la pensée de Dieu — «réalité mohammedienne»: intelligence et force qui gouvernent le monde à titre d'émanation du Dieu suprême mais sans être Dieu
Modernistes	On veut à la fois défendre l'Islam contre les accusations des Occidentaux et accréditer les valeurs modernes	— Mohammed = le parfait exemple des vertus humanitaires et sociales chères au libéralisme européen

Sur le plan politique

Morcelée et généralement isolée par sa géographie, l'Arabie du VIIe siècle après Jésus Christ représentait, sur le plan politique, une sorte de vide. Même si des royaumes étaient périodiquement apparus au sud et sur la frange nord, l'Arabie n'avait jamais été unifiée; elle demeurait, dans l'ensemble, le territoire de tribus jalouses de leur indépendance et vaguement regroupées en fédérations rivales dont l'influence variait selon le jeu des alliances.

Tout en rendant à peu près impossible l'établissement d'un pouvoir équivalent à un gouvernement national, l'indépendance et la mobilité des tribus arabes de l'intérieur décourageaient également les tentatives de domination extérieure. Aucun des deux grands empires voisins n'avait réussi à intégrer l'Arabie dans son orbite politique. À l'ouest, l'empire byzantin, héritier de l'empire romain, était décadent et épuisé par les luttes contre les barbares en Europe et contre les Perses en Orient. À l'est, l'empire perse des Sassanides était lui aussi épuisé à la suite des guerres contre Byzance.

Les deux grands de l'époque, les Byzantins et les Perses, avaient recours au même procédé pour contenir les Arabes à l'intérieur de la péninsule: ils maintenaient deux États tampons arabes aux frontières nord de l'Arabie. Ceux-ci étaient constitués de deux tribus arabes, elles-mêmes remontées de l'intérieur, qui s'étaient converties au christianisme. À l'ouest, du côté de la Syrie, les Ghassanides agissaient pour le compte de Byzance, tandis qu'à l'est, du côté de l'Irak, les Lakhmides défendaient les frontières de l'empire perse.

Sur le plan social

La population du centre et du nord de l'Arabie vivait selon le système tribal des bédouins. L'unité de base de cette société n'est pas l'individu mais le groupe: l'individu n'a de droits et de devoirs qu'en tant que membre de son clan. La solidarité

Le Moyen-Orient à la veille de l'Islam

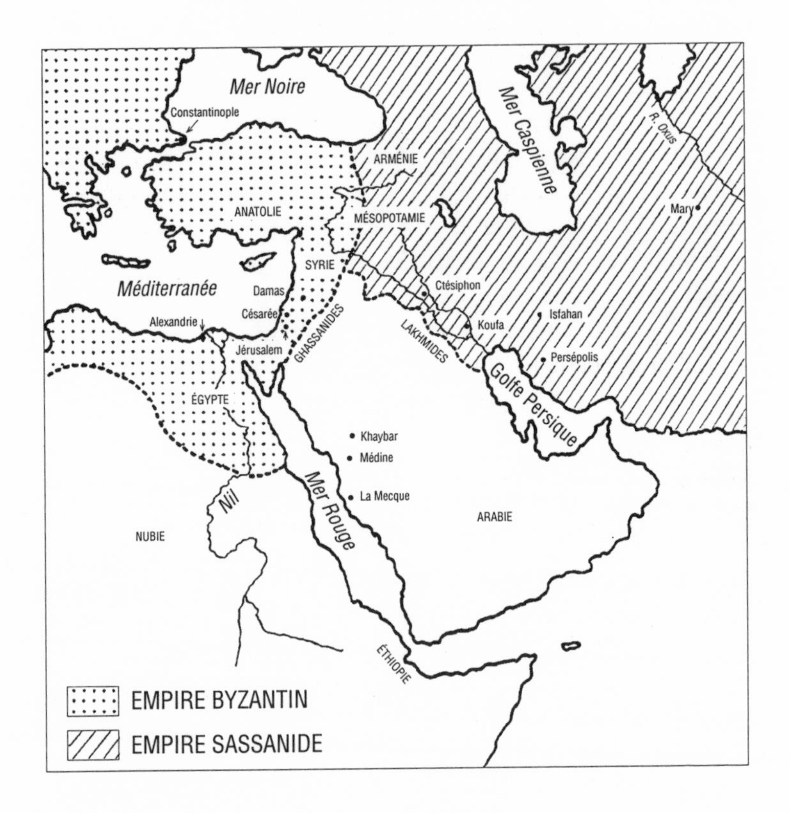

du clan repose, d'une part, sur la coopération, nécessaire pour faire face aux dangers et à l'âpreté de la vie dans le désert (un individu seul ne peut survivre dans ces régions); d'autre part sur le lien du sang, c'est-à-dire le lien de parenté selon la descendance de lignée mâle. Pour subsister, la tribu compte sur ses troupeaux et sur les razzias effectuées dans les régions sédentarisées; le pillage des caravanes ou leur protection moyennant tribut représente également une bonne source de revenus. Dans un tel contexte, tout le monde est pauvre ensemble ou riche ensemble, et les faibles (veuves et orphelins) sont pris en charge par le groupe.

L'organisation de la tribu est assez rudimentaire. Le *shaykh*, chef de la tribu, est élu par les anciens et secondé par une sorte de conseil. Habituellement considéré comme «premier entre des égaux», le *shaykh* suit l'opinion de la tribu plus qu'il ne la mène. Lorsque survient un conflit, on a recours à un «homme sage», arbitre que l'on choisit en raison de ses bons jugements et de sa clairvoyance: c'est probablement en partie à ce titre que Mohammed sera appelé à Médine.

Le devin et le poète sont deux autres personnages importants dans la tribu. Le devin est perçu comme étant un familier des *djinn* (esprits ou génies): dans un état de transe, il conseille, avise, prédit dans des oracles en prose rimée. Lorsqu'il proclamera à ses concitoyens des versets du Coran dont la forme extérieure ressemble au style des devins, Mohammed sera accusé d'être un simple devin se faisant passer pour un prophète.

Un peu comme le devin, le poète est considéré comme «possédé», inspiré par quelque esprit. C'est un homme très puissant. Dans une société où la parole est pratiquement la seule forme d'art et de culture, le pouvoir de la poésie est énorme. Être loué par un poète, c'est s'assurer de survivre dans la mémoire des générations qui se transmettront précieusement les vers bien tournés écrits en votre honneur; par contre, être ridiculisé par les couplets d'un poète, c'est se voir arracher ce même honneur, le bien le plus précieux.

L'échelle des valeurs

L'honneur occupe en effet la première place dans l'échelle des valeurs de cette société tribale. On se préoccupe au plus haut point de la réputation, de l'image qu'un homme ou que sa tribu projette. S'ajoute à cela un sens aigu de la précarité de cette vie. Les gens ne croient pas à une existence après la mort et veulent tirer le maximum du temps qu'ils ont à vivre. On comprend dès lors mieux ce qui nous semble excessif, extrême, dans le comportement de ces bédouins. Pour s'assurer la gloire et donc survivre dans la mémoire de leurs descendants, ils agissent sans mesure et sans retenue, que ce soit dans la manière de s'exprimer, de boire, de gager. Ils sont hypersensibles à l'insulte; les conflits qui les opposent à d'autres individus se transforment aisément en guerres où le sang versé doit être vengé par un autre sang versé, qui doit à son tour être vengé. Les combats sont autant de concours de bravoure et d'audace individuelles, ces dernières se manifestant au détriment de la discipline et de la stratégie. Pas de demi-mesure, non plus, dans la générosité, dans l'hospitalité, qui projettent une image de noblesse et de grandeur d'âme.

Le Coran et l'action de Mohammed s'attaqueront souvent aux plaies sociales engendrées par une telle conception de la vie, tout en canalisant vers d'autres fins l'énergie considérable qui s'y manifeste.

Sur le plan religieux

Les Arabes de la péninsule ont des cultes variant selon les régions, mais qui présentent des traits communs, même si nous n'en possédons qu'une connaissance assez réduite. À un vieux fond sémite se rattachent des divinités tribales ou locales peu individualisées résidant dans des arbres, des fontaines et surtout dans des pierres sacrées. Au-delà de ces divinités propres à chaque tribu, certaines déesses sont vénérées dans presque toute l'Arabie. Les trois plus importantes sont al-Ouzza (étoile du matin), Manat (déesse du bonheur) et Allat (déesse du ciel). Ces trois déesses semblent elles-mêmes subordonnées à un dieu plus grand, habituellement appelé Allah («Le dieu»).

Dans le désert, la foi des nomades a pour centre le dieu de la tribu, symbolisé par une pierre que l'on transporte dans une tente rouge. La conformité à ce culte cimente l'unité de la tribu et exprime la loyauté de l'individu envers le groupe. Dans les villes, qui représentent un état plus avancé de la société, et dont la plus importante est La Mecque, patrie de

Mohammed, chaque clan possède sa pierre sacrée, mais l'union des clans est symbolisée par le rassemblement des pierres en un sanctuaire central ayant un symbole commun, la *Ka'ba*. Il s'agit d'un édifice en forme de cube contenant la «Pierre noire» et s'élevant au milieu d'une vaste place où se trouvent une autre pierre sacrée et le puits de zemzem. Ce dernier, tout comme la *Ka'ba*, est lié à l'histoire d'Abraham: selon la Tradition, c'est Abraham qui a construit la *Ka'ba* avec l'aide de son fils Ismaël, et c'est l'ange Gabriel qui a fait jaillir la source de zemzem pour désaltérer Ismaël et sa mère Agar qui erraient dans le désert. Chaque année, pendant trois mois de trêve sacrée, diverses tribus de l'Arabie viennent en pèlerinage à ce lieu saint et pratiquent les rites déambulatoires qui consistent à faire sept fois le tour de la *Ka'ba*.

Outre les Ghassanides et les Lakhmides (mentionnés plus haut), la foi chrétienne a aussi gagné de grandes et de petites tribus arabes, ainsi que des groupes urbains isolés; par ailleurs, les ermites chrétiens du désert sont bien connus. Le judaïsme est également présent chez certains arabes convertis, mais surtout dans des communautés juives. Puissants et bien organisés dans les grandes oasis du nord-ouest (Médine, Khaybar, Fadak), les juifs sont diffus au sud, et isolés en tant que commerçants dans certaines villes comme La Mecque.

Afin de compléter le panorama religieux de l'Arabie, il faut mentionner les *Hanif*, individus qui vivent retirés, dans la méditation et l'ascèse. Ils croient en un dieu unique, mais ne sont ni juifs ni chrétiens. Avant les premières révélations du Coran, Mohammed a sans doute eu des contacts avec certains adeptes de ces groupes religieux, mais il est à peu près impossible d'évaluer quelle influence ces contacts ont eue sur la naissance de l'Islam.

Mohammed à La Mecque

Mohammed n'est pas strictement un fils du désert, puisqu'il naquit, vers 570 ap. J. C., dans la ville commerçante de La

Mecque. Son père, 'Abdallah, fait partie des Qoraysh, tribu puissante qui, depuis plusieurs générations, a la garde et le contrôle du sanctuaire. À l'intérieur de cette tribu, le clan des Hashimites (celui de Mohammed), autrefois prospère et dominant, est maintenant plutôt modeste, mais il est respecté, même s'il ne fait pas partie de la classe dirigeante.

Avant l'appel d'Allah

'Abdallah meurt avant la naissance de son fils Mohammed, et ce dernier se retrouve complètement orphelin à six ans, lorsque disparaît à son tour sa mère Amina. Le jeune Mohammed est recueilli par son grand-père paternel, 'Abd al-Mouttalib, et plus tard par son oncle Abou Talib. Même si ces deux hommes prennent soin de lui, l'enfance de Mohammed n'est pas des plus heureuses. Un passage du Coran fait d'ailleurs allusion à cette période de sa vie (Cor. 93:6-8):

> [Allah] Ne t'a-t-il pas trouvé orphelin
> et il t'a procuré un refuge.
> Il t'a trouvé errant
> et il t'a guidé.
> Il t'a trouvé pauvre
> et il t'a enrichi.

La ville dans laquelle Mohammed grandit est, nous l'avons dit plus haut, célèbre par son sanctuaire. Mais la principale source de prospérité de La Mecque est le commerce. Dans cette Arabie qui est le lieu de passage des échanges commerciaux entre l'Asie et l'Europe, La Mecque constitue un important point de jonction des routes de caravanes. Toute la vie économique et sociale de la ville est centrée sur ce mouvement des caravanes.

Cette activité intense a pour résultat la prospérité, mais aussi un changement de société: l'échelle des valeurs des bédouins a graduellement cédé la place à une prédilection pour la richesse et les biens matériels. La ville n'est plus gouvernée par un *shaykh* choisi pour ses qualités, mais par un petit groupe d'hommes issus des familles les plus riches. Contrairement à ce qui se passe dans le désert, la richesse voisine, à l'intérieur de la même tribu, avec la pauvreté.

Dans ce milieu où l'on évalue un homme à ses possessions, le jeune Mohammed a sans doute à souffrir de sa pauvreté. Mais il acquiert une réputation de caravanier habile et fiable. À vingt-cinq ans, vers 595, il s'engage au service de Khadidja, une riche veuve de quarante ans, dont il gagne très vite l'estime, puis l'affection. C'est alors qu'elle s'offre à lui en mariage. Dès lors Mohammed, tout en exerçant son métier de marchand et de caravanier, va mener une existence exempte de tout souci matériel.

L'appel à la fonction de prophète

Il semble qu'un autre genre de souci commence à préoccuper Mohammed. Selon la Tradition, il prend l'habitude de se retirer souvent dans la solitude d'une grotte située sur une colline des environs. C'est là qu'il passe des nuits à méditer et à prier. Il a alors près de quarante ans. Pendant ces veilles solitaires, il lui arrive d'avoir des visions. La première d'entre elles est décrite dans le Coran (53:1-18): un être glorieux lui apparaît, debout dans le ciel, près de l'horizon. Puis il s'approche et communique à Mohammed une première révélation (Cor. 96:1-8):

> Récite au Nom de ton Seigneur qui a créé!
> Il a créé l'homme d'un caillot de sang.
> Récite!
>
> Car ton Seigneur est le Très-Généreux
> qui a instruit l'homme au moyen de la plume,
> et lui a enseigné ce qu'il ignorait.
>
> Bien au contraire!
> L'homme est rebelle
> dès qu'il se voit dans l'aisance.
> — Oui, le retour se fera vers ton Seigneur.

Mohammed croit d'abord que c'est Allah (Dieu) lui-même qui lui est apparu. Mais par la suite, il identifie cet être glorieux comme étant l'ange Gabriel. Cette vision se répète et finit par le convaincre qu'Allah l'a choisi pour être son Messager, chargé de «réciter» aux hommes les révélations que lui transmet Gabriel. Ces révélations vont se poursuivre pendant plus de vingt ans, à intervalles plus ou moins réguliers, jusqu'à la mort du Prophète. Regroupées par la suite, elles constitueront le Coran (de l'arabe *Qor'an*: récitation), expression même de la Parole d'Allah.

La prédication

D'abord hésitant devant cette mission qui lui est confiée, Mohammed est rassuré et soutenu par son épouse Khadidja. Il commence à transmettre aux Mecquois les révélations qu'il reçoit. Les premiers à répondre à l'appel sont son épouse, son cousin Ali et son fils adoptif Zayd. Deux hommes influents se rallient également à lui: Abou Bakr, son ami intime et dévoué, et Omar, homme droit à la main rude. Tous deux succéderont plus tard à Mohammed en tant que chefs de la communauté musulmane. En dehors de ce cercle de parents et d'amis, la prédication du Prophète n'est acceptée que par des gens de condition modeste et ne réussit pas à toucher les membres des familles influentes.

Si l'on considère le contenu de cette prédication, il ne faut pas s'étonner de cette indifférence. Selon les termes mêmes du Coran (74:2), Mohammed est «l'avertisseur» qui, tout en rappelant la bonté du Dieu unique et tout-puissant qu'est Allah, annonce la venue prochaine du jugement dernier, au cours duquel les hommes devront rendre compte de leur conduite devant leur Juge et recevront la récompense ou le châtiment qu'ils méritent. En tentant d'arracher ses concitoyens à l'insouciance vis-à-vis de l'au-delà et à ce qu'on appellerait aujourd'hui le matérialisme, le Messager proclame que le but de cette vie n'est pas de s'enrichir mais de s'en

Vie de Mohammed: principaux événements

Date	*Événements*
	Mort de son père Abdallah
v. 570	Naissance de Mohammed à La Mecque
v. 576	Mort de sa mère Amina
v. 595	Mariage avec Khadidja
v. 610	Premières révélations
v. 615	Un groupe de musulmans émigre en Abyssinie
v. 619	Mort de Khadidja (épouse de Mohammed) Mort d'Abou Talib (oncle de Mohammed)
sept. 622*	Hégire: émigration de Mohammed vers Médine = début de l'ère musulmane («A.H.»)
623	La *qibla* (direction pour la prière) est changée: ce n'est plus Jérusalem mais La Mecque
mars 624	Bataille de Badr: victoire des musulmans sur les Mecquois
mars 625	Bataille de Ohod: défaite des musulmans
avril 627	«Guerre du fossé»: victoire musulmane
mars 628	Pacte de Hodaybiyya: Mohammed traite d'égal à égal avec les Mecquois
mai-juin 628	Prise de l'oasis de Khaybar
mars 629	Pèlerinage à La Mecque
janv. 630	Prise de La Mecque
630	«Année des délégations»: les tribus de l'Arabie se soumettent
mars 632	«Pèlerinage d'adieu»
juin 632*	Mort de Mohammed à Médine

* *Dates certaines; les autres dates sont probables.*

remettre à Allah («Islam»), et d'obéir à ses commandements: faire la prière et pratiquer l'aumône.

Refus et opposition des Mecquois

Ce message est d'abord accueilli avec une indifférence hautaine par les grands de La Mecque. Forts de leur réussite dans le monde du commerce, ceux-ci estiment qu'ils n'ont pas de compte à rendre à qui que ce soit. Mais lorsque l'accent est mis sur la croyance en un Dieu unique et sur la répudiation des idoles, c'est non seulement la religion des anciens qui est menacée, mais également l'ordre économique et social lié au sanctuaire. Agacées de voir un homme aussi ordinaire se présenter comme porteur d'un message divin, les familles importantes de la ville commencent à craindre l'influence de Mohammed. Intimidations et vexations s'abattent alors sur les adeptes de l'Islam, surtout sur les plus faibles; environ quatre-vingts d'entre eux émigrent en Abyssinie vers l'an 615.

Les années 615 à 620 sont probablement les plus difficiles pour Mohammed. En 619, il perd sa fidèle épouse Khadidja et son oncle Abou Talib. Ce dernier, même s'il n'a pas adhéré à l'Islam, s'est toujours efforcé de protéger son neveu, au nom du lien du sang. Abou Lahab, frère d'Abou Talib, lui succède à la tête du clan des Hashimites, mais, soumis à la pression de clans plus puissants, il finit par retirer à Mohammed la protection de son clan. Le Prophète se trouve dès lors dans une double impasse: non seulement sa prédication est neutralisée par l'opposition des Mecquois, mais sa sécurité personnelle est menacée. En conséquence, si le Message d'Allah signifie autre chose que de pieux souhaits, il faut, de toute évidence, le porter ailleurs qu'à La Mecque.

Vers 620, Mohammed entre en relation avec des pèlerins venus de Yathrib (Médine[3]), oasis prospère située à environ

---

3. Après l'arrivée de Mohammed, Yathrib prendra le nom de Médine (*madinat al-Nabi*, «ville du Prophète»).

450 km au nord de La Mecque. L'Islam et la réputation de son Prophète ayant ensuite fait des adeptes à Médine, ceux-ci acceptent de conclure avec Mohammed un premier pacte en 621, et un second en 622. Puis ils invitent le Prophète à venir s'établir chez eux, s'engageant à lui obéir, à le protéger et à renoncer à l'idôlatrie. Au cours de l'été de l'an 622, les musulmans mecquois commencent donc à quitter la ville, en secret et par petits groupes, pour s'expatrier à Médine. En septembre de la même année, Mohammed en fait autant, au risque de sa vie.

C'est l'Hégire, «l'Expatriation», point tournant de l'histoire de l'Islam, que les musulmans vont choisir comme point de départ de leur calendrier[4].

Mohammed à Médine

En contraste avec La Mecque, sèche et stérile, Médine est une oasis verdoyante où l'on vit surtout de la culture des dattes et des céréales. Le climat, humide et malsain, favorise le paludisme. Les habitants de Médine, dont le nombre est d'environ 10 000, vivent par petits groupes dispersés à travers champs et palmeraies. Cette population est composée de cinq grandes tribus: deux tribus arabes et trois tribus juives, mais la solidarité tribale s'y est affaiblie au profit de la solidarité du clan. Chaque clan a d'ailleurs construit des petits forts dans lesquels on pourra se retirer en cas d'attaque.

---

4. Le terme arabe *Hidjra* («hégire») ne signifie pas «fuite», mais «émigration», «expatriation», séparation d'avec la famille, le clan, pour s'attacher à d'autres individus. L'ère musulmane commence le premier jour de l'année où eut lieu l'Hégire, c'est-à-dire le 16 juillet 622. Le calcul d'équivalence entre les dates du calendrier musulman («A.H.»: année de l'Hégire) et les dates du calendrier chrétien (A.D.: «Anno Domini» ou «après J. C.») est compliqué du fait que l'année musulmane comporte 12 mois lunaires ou 354 jours, si bien qu'il y a environ 103 années musulmanes dans chaque siècle du calendrier chrétien.

Les problèmes de Médine

La ville de Médine n'a aucune forme de gouvernement stable. Les deux tribus arabes ont acquis une position dominante, mais elles sont en lutte l'une contre l'autre. Les tribus juives détiennent une sorte de «balance du pouvoir» — précaire cependant —, du fait qu'elles s'allient tantôt à l'une tantôt à l'autre. Depuis bien des années, la ville est déchirée par la violence croissante des affrontements entre les deux tribus arabes. Épuisées par ces luttes meurtrières, celles-ci peuvent craindre d'être dominées un jour par les tribus juives si elles s'allient les unes aux autres. On en a assez de la guerre, et pourtant on n'arrive pas à faire la paix: l'honneur ne peut souffrir que l'un des deux groupes se soumette à l'autre. La solution la plus traditionnelle et la plus acceptable est dès lors de s'en remettre à un arbitre impartial qui règlera les conflits et exercera un certain leadership; mais il est difficile de trouver un tel personnage puisqu'à peu près tout le monde — y compris les membres des tribus juives — est impliqué dans le réseau d'alliances ou d'affiliations à l'un ou à l'autre groupe.

Cette situation explique en partie pourquoi Mohammed est invité à s'établir à Médine. Ses qualités personnelles répondent au besoin qu'a la population d'un homme sage et fiable capable de rétablir la paix. Explication partielle, disions-nous, car un certain nombre de Médinois reconnaissaient déjà pleinement Mohammed, non seulement comme arbitre, mais aussi comme Prophète, avant même qu'il n'arrive chez eux. Le message qu'il apporte est de nature à élever les belligérants au-dessus de leurs querelles locales: il leur propose une cause commune et supérieure, celle de l'Islam.

La «Constitution de Médine»

Ce double caractère, religieux et politique, de la venue de Mohammed à Médine se reflète dans un document qui porte le nom de «Constitution de Médine», promulgué par Mohammed peu après son arrivée et fidèlement retransmis par les historiens arabes. Ce texte a pour but de régir les relations entre les divers groupes de Médine: les immigrants mecquois, les tribus arabes et les tribus juives.

Ce document jette les bases de la *oumma,* ou communauté musulmane. Traitant presque exclusivement des relations civiques et politiques des citoyens entre eux et avec l'extérieur, la Constitution ne supplante pas la structure et la mentalité tribales de l'Arabie préislamique, mais elle y introduit des changements importants, qui font de la *oumma* une sorte de «super-tribu».

En premier lieu, le lien de la foi remplace celui du sang en tant que base de solidarité sociale. Pratiquement, cela signifie que la vengeance du sang est supprimée au profit de l'arbitrage. Puis une nouvelle conception de l'autorité se fait jour: pour les vrais croyants, le *shaykh* de la *oumma*, Mohammed, ne gouverne pas en vertu d'une entente conditionnelle issue de l'opinion publique et changeant avec elle, comme c'était le cas auparavant: son autorité est une prérogative religieuse intangible. La source de l'autorité n'est plus l'opinion publique mais bien Allah lui-même, qui la délègue à son envoyé Mohammed.

Cette conception de la *oumma* va marquer toute l'histoire de l'Islam jusqu'à nos jours. La *oumma* est à la fois une collectivité religieuse (communauté) et un organisme politique. Cette liaison du politique et du religieux est difficilement acceptable pour des esprits occidentaux habitués à bien séparer ces domaines, sous forme d'une Église à l'intérieur d'un État séculier. Mais pour les contemporains arabes[5] de Mohammed, cette fusion va de soi et est inévitable: chez eux, la religion doit s'exprimer et s'organiser sous une forme politique, car aucune autre forme ne s'est développée. En même temps, seule la religion peut regrouper en un État des gens

5. C'est aussi le cas dans l'empire byzantin, l'empire perse, et en Abyssinie, où religion et État sont étroitement liés.

pour qui le concept d'autorité politique est étranger. En somme, reconnaître tel dieu, c'est appartenir à telle tribu, et appartenir à telle tribu, c'est reconnaître tel dieu. En revanche, proposer une nouvelle optique religieuse, comme le fait le message apporté par Mohammed, c'est établir une nouvelle sorte d'organisation politique et sociale. Les Mecquois ont bien senti cette menace à un ordre établi qui les satisfait, alors que les Médinois ont beaucoup moins à perdre avec ce changement.

Si l'on comprend bien ce contexte, on ne sera pas étonné de constater la tournure que prennent l'Islam et l'activité du Prophète à Médine. Tout en rappelant et en parachevant les grands thèmes de la prédication à La Mecque, les versets du Coran révélés à Médine contiennent surtout des prescriptions pratiques concernant l'organisation concrète de la vie et des considérations sur les événements en cours. Le Prophète agit comme chef d'État, stratège militaire et diplomate. Replacés dans le contexte décrit plus haut, ces faits ne signifient pas une nouvelle version de l'Islam, mais plutôt un passage de la théorie à la pratique, grâce à des circonstances nouvelles. Le nouveau type d'organisation socio-politique postulé par la nouvelle foi devient réalisable à Médine. C'est là que le Prophète va consacrer toute son énergie à traduire dans des faits les Paroles qu'il a reçues et continue à recevoir.

Débuts difficiles

Les débuts de Mohammed à Médine ne sont pourtant pas à l'abri de difficultés diverses. Le Prophète y est perçu de différentes manières. Parmi les Arabes des deux tribus, certains acceptent sans partage l'Islam et son Prophète et deviennent les soutiens des immigrants mecquois. Mais d'autres individus, appelés «Hypocrites» dans le Coran, se rallient officiellement à l'Islam tout en minant officieusement le leadership de Mohammed par un jeu d'alliances avec les juifs et même avec les Mecquois.

La religion juive semble très proche de celle prêchée par

Mohammed, et certaines pratiques semblent de nature à établir un pont entre les deux croyances; par exemple, les musulmans prient alors tournés dans la direction (*qibla*) de Jérusalem. Mohammed espère que les juifs verront dans l'Islam un rappel et une confirmation de leurs propres Écritures. Mais il est bientôt décu lorsqu'il constate qu'il n'est pas reconnu par eux en tant que Prophète. Malgré une entente leur garantissant une autonomie interne, les juifs finissent par s'opposer ouvertement à Mohammed et à ridiculiser son message. Vers 624, le Prophète rompt avec eux, et c'est vers le sanctuaire de La Mecque que se tourneront désormais les croyants lors de la prière.

Mohammed est également préoccupé par la situation des immigrants musulmans. Démunis et ne voulant pas vivre indéfiniment aux dépens des musulmans de Médine, les immigrants doivent se tourner vers la seule solution qui leur reste pour gagner leur vie: la razzia (*ghazya*), c'est-à-dire le pillage des caravanes. Cette pratique est courante et considérée comme naturelle et légitime. C'est ainsi que quelques immigrants vont attaquer une caravane mecquoise revenant de Syrie pendant le mois de la trêve sacrée.

Confrontations avec les Mecquois

En mars 624, Mohammed en personne prend la tête d'une expédition, accompagné de trois cents musulmans, immigrants et Médinois. Les Mecquois résistent, car leur nombre est supérieur à celui de leurs attaquants, mais ils sont néanmoins vaincus. Cette bataille va porter le nom de «Bataille de Badr». Les croyants s'emparent d'un butin abondant. Cette victoire est interprétée comme un signe de la bonté et de l'approbation d'Allah. Ces expéditions, qui font bien sûr office de gagne-pain, font également partie d'une stratégie destinée à frapper les Mecquois sur le plan économique, à la base même de leur opposition à l'Islam.

L'année suivante, en mars 625, les Mecquois se dirigent vers Médine avec une troupe de trois cents hommes afin de prendre leur revanche et de couper court au danger qui menace leur commerce. Les musulmans les attendent à l'extérieur de la ville, sur les pentes du mont Ohod. Ils sont défaits, car ils n'ont pas suivi les ordres du Prophète, mais ils réussissent néanmoins à regagner la ville, où les Mecquois n'osent pas les poursuivre.

En avril 627, une armée mecquoise de dix mille hommes arrive devant Médine pour l'assiéger. Sur le conseil d'un Persan converti, Mohammed fait creuser un fossé autour de la ville. Déroutés par cette tactique, les Mecquois se retirent. Le siège de la ville a duré quarante jours. La bataille portera le nom de «Guerre du Fossé».

À Médine même, l'opposition à Mohammed s'est graduellement estompée: les Hypocrites se sont ralliés à l'Islam, une des tribus juives a été expulsée après Badr, et une autre après Ohod, en raison de l'aide qu'elles ont apportée aux Mecquois. Après la guerre du Fossé, les hommes de la dernière tribu juive sont massacrés: on les a trouvés coupables de complot avec l'ennemi, leur sort a été remis, par Mohammed, entre les mains d'un Médinois qui avait fait alliance avec eux[6].

À la conquête de la Mecque

Ayant affermi sa position à Médine, Mohammed peut alors concentrer ses efforts sur La Mecque. Pour s'enraciner solidement en Arabie, l'Islam se doit de gagner cette ville, à cause du prestige et de l'influence que représentent ses alliances avec de nombreuses tribus bédouines et de l'importance, sur le plan religieux, de son sanctuaire comme point de rassemblement et de cristallisation du sentiment religieux des Arabes. En mars 628, pendant le mois de trêve sacrée, Mohammed part donc pour La Mecque avec un groupe de musulmans afin

---

6. Les raisons de ce traitement infligé aux tribus juives ne sont pas très claires, mais projeter dans le passé l'ombre des conflits actuels ne contribuerait probablement pas à éclaircir les faits.

d'y accomplir le pèlerinage. Ils rencontrent les négociateurs mecquois à Hodaybiyya, en bordure du territoire sacré de La Mecque. Un armistice de dix ans est conclu, aux termes duquel les Mecquois évacueront la ville pendant trois jours, l'année suivante, afin de permettre aux musulmans d'accomplir le pèlerinage. Si, dans le texte du traité, Mohammed n'est pas reconnu comme le «Messager d'Allah», les Mecquois ont néanmoins accepté de traiter avec lui d'égal à égal.

Revenus à Médine, les musulmans se lancent bientôt à la conquête de Khaybar, une oasis à majorité juive située au nord de Médine. La victoire des musulmans représentera le premier contact entre l'État musulman et un groupe de conquis non musulmans. L'entente intervenue alors va, dans l'avenir, servir de base au règlement de cas similaires: les juifs conserveront leur religion et l'usage de leurs terres moyennant un tribut annuel de 50 pour cent des récoltes.

Au mois de mars de l'année suivante, en 629, Mohammed, en compagnie de deux cents musulmans, accomplit le pèlerinage à La Mecque. C'est là que le prestige croissant de l'Islam fait des convertis de marque parmi les Qorayshites. Ce prestige est également confirmé par le fait que des tribus bédouines se rallient à Mohammed.

En janvier 630, à l'occasion d'un accroc au pacte de Hodaybiyya, le Prophète décide de marcher sur La Mecque. Les Mecquois ne lui opposent aucune résistance et, sans qu'aucune goutte de sang ne soit versée, Mohammed entre en vainqueur dans la ville. Plus préoccupé de «gagner les cœurs» à l'Islam que de venger son honneur personnel, le Prophète accorde une amnistie générale, et la plupart des Mecquois se convertissent. Mohammed laisse en fonction les gardiens du sanctuaire, mais non sans avoir pris soin de faire détruire les idoles, à l'exception de la «Pierre noire», qu'il touche en s'écriant «*Allah akbar*» («Allah est le plus grand.»)

Maître de l'Arabie

Après avoir passé une quinzaine de jours à La Mecque, Mohammed revient à Médine, fidèle à son premier engagement envers les habitants de cette ville. Il passe le reste de l'année à recevoir les délégations des tribus de l'Arabie qui, de leur propre gré, viennent se soumettre à l'Islam. Cette «soumission» est souvent plus politique que religieuse; elle est d'abord et avant tout une entente personnelle avec le chef de Médine, pas forcément un endossement de l'Islam. Conscient des difficultés des bédouins à satisfaire aux exigences de l'Islam et ne voulant pas les bousculer, le Prophète concentre son activité diplomatique sur le rassemblement politique et militaire des groupes, laissant la religion aux soins de l'évolution individuelle. Ainsi, les tribus chrétiennes du Nadjran deviennent «protégées» (*dhimmi*) par le Prophète, conservant ainsi, moyennant tribut, le libre exercice de leur religion et la possession de leurs biens. Cette série de traités donne le coup de grâce à la prépondérance de La Mecque et consacre le leadership de Mohammed en Arabie.

En mars 632, le Prophète prend lui-même la tête du pèlerinage à La Mecque. Il accomplit ce rite selon les prescriptions qui seront désormais celles de l'Islam: des pratiques antérieures y sont intégrées, qui prennent une autre signification, mais l'Islam n'y tolère rien qui ressemble au culte des idoles ou semble contredire cette conviction fondamentale: «Il n'y a pas d'autre divinité qu'Allah.»

Ce pèlerinage est le dernier que fera Mohammed. C'est le «pèlerinage d'adieu». Selon la Tradition, c'est à cette occasion qu'il reçoit la dernière révélation, dans laquelle Allah proclame aux croyants (Cor. 5:3):

> Aujourd'hui, j'ai rendu votre Religion parfaite;
> j'ai parachevé ma grâce sur vous.
> J'agrée l'Islam comme étant votre religion.

Revenu à Médine, Mohammed tombe malade. Au début du mois de juin, ne pouvant plus se déplacer, il désigne Abou

Bakr, son ami intime, pour le remplacer comme chef de la prière. En proie à un accès de fièvre, il meurt le 8 juin 632. Aux musulmans, consternés par cette mort inattendue, Abou Bakr déclare:

> Bonnes gens, si quelqu'un a adoré Mohammed,
> sachez que Mohammed est mort
> mais si quelqu'un a adoré Allah,
> sachez qu'il est vivant et ne meurt pas!

C'est sur le modeste emplacement de la maison de Mohammed, où il est enseveli, que l'on va ériger par la suite la mosquée du Prophète. Cette mosquée est un des hauts-lieux de la vénération des musulmans, immédiatement après la *Ka'ba* de La Mecque.

Le rôle de Mohammed dans l'Islam

Les ouvrages consacrés à la vie de Mohammed se terminent habituellement par une sorte d'évaluation, de jugement d'ensemble porté sur le caractère et la vie personnelle du Prophète, sur l'œuvre qu'il a accomplie et sur l'authenticité de sa mission prophétique. Ce genre de propos relève en partie de la foi des croyants, musulmans ou non musulmans, mais il donne également prise aux recherches des historiens, des théologiens, des apologistes, des psychologues et des sociologues.

Sans nier l'intérêt que peuvent présenter ces propos[7], il convient plutôt d'arrêter notre attention sur le rôle de Mohammed en rapport avec le phénomène religieux qu'est l'Islam. Dans cette optique, la question n'est pas de savoir si Mohammed est un «vrai prophète» et si le Coran est une authentique «révélation divine», il s'agit plutôt de saisir ce qui se passe à

7. Le lecteur intéressé par ces questions pourra se reporter, par exemple, à Régis BLACHÈRE, *op. cit.*, p. 129, cité par Émile DERMENGHEM dans *Mahomet et la tradition islamique*, Paris, Le Seuil, («Maîtres spirituels», n° 1), 1955, p. 52-53; et à *Mahomet prophète et homme d'État*, W.M. WATT, Paris, Payot, 1962, p. 201-211.

partir du moment où la foi religieuse d'une collectivité reconnaît un tel rôle à un individu et un tel caractère au Livre qu'il proclame. Ce qui est en cause, c'est moins une appréciation de la personne du Prophète qu'une compréhension globale de l'Islam. En tant que fait religieux observable, l'Islam se réfère au Livre (le Coran), mais le fonctionnement de cette religion ne s'explique pas entièrement par le Livre, quelle que soit l'origine qu'on lui attribue. Entre le Livre et le vécu actuel des musulmans, il y a une série de relais, de «médias» par lesquels la communauté musulmane rejoint le Livre. Parmi ces relais, le Prophète Mohammed est sans doute le plus important.

Médium ou intermédiaire entre le Livre et le vécu de la communauté musulmane, Mohammed l'est à un double niveau. Tout d'abord, le Prophète est celui qui, de son vivant et par son activité, a traduit le Livre en histoire; il a non seulement rendu audibles et intelligibles les mots du Livre, mais il les a transcrits dans les faits en établissant une communauté de croyants qui est devenue comme une sorte d'épellation concrète du Livre. C'est par la médiation de Mohammed que les éléments fondamentaux du Livre sont devenus praticables et viables dans l'histoire, à travers les croyances, les pratiques et l'organisation religieuse et politique de la collectivité.

Mais ce rôle de médium ne s'arrête pas avec la mort de Mohammed. Car dans la «lecture» (interprétation, commentaires) qu'elle fera du Livre, la communauté musulmane prendra comme guides les faits et gestes du Prophète.

À travers les récits (*Hadith*) qu'on en a, la conduite (*Sunna*) du Prophète prendra valeur de norme comme étant l'interprétation ou la mise en application la plus fiable du Livre. Ainsi, on retrouve dans l'Islam d'aujourd'hui des éléments qui ne sont pas mentionnés explicitement dans le Coran mais qui sont perçus par les musulmans comme découlant du Livre en raison des actes ou des paroles personnelles du Prophète.

Nous reviendrons plus loin (chapitre 4) à ces considérations et constaterons que la Tradition (*Hadith, Sunna*) et la

Loi (*Shari'a*) jouent, elles aussi, un rôle de médium entre le Livre et le vécu de la communauté croyante. Pour l'instant, après avoir évoqué l'entrée du Livre dans l'histoire par l'intermédiaire de Mohammed, nous allons porter notre attention sur le Livre même.

2

LE CORAN

Tel qu'il se présente à nous aujourd'hui, le Coran est un livre d'une longueur assez considérable, soit environ le tiers de la Bible. Ce livre comporte 114 chapitres appelés «sourates» (*soura*: «révélation», ou «texte écrit»). Les sourates se divisent elles-mêmes en versets appelés *aya* («signes», «prodiges»). Les sourates sont de longueur très inégale: la plus longue (Cor. 2) comprend 286 versets, alors que la plus courte (Cor. 110) n'en comprend que trois.

En terme de contenu, le Coran est la consignation écrite des révélations transmises par Mohammed tout au long de sa mission de Prophète. Pour les musulmans, le Coran est, mot à mot, la Parole de Dieu lui-même, telle qu'elle fut communiquée au Prophète en langue arabe par l'intermédiaire d'un ange.

Avant d'évoquer le contenu de ce message, nous allons voir comment il est passé de la forme orale à la forme écrite, pour devenir le Livre sacré des musulmans.

De la Révélation au Livre

Les versets du Coran étaient communiqués à Mohammed alors qu'il se trouvait dans une sorte de transe, d'inspiration; dans cet état, le Prophète était coupé du monde extérieur, le fonctionnement de ses sens était comme suspendu et remplacé par des phénomènes visuels et auditifs. L'impact du message se traduisait par des frissons, des sueurs, des cris rauques, des gémissements, des douleurs; le Prophète s'enveloppait parfois de son manteau, se couvrait le visage. Certaines révélations s'accompagnaient de visions (ange, jeune homme), et de perceptions auditives: tintement de cloches, bourdonnements d'abeilles, bruit métallique.

Pour l'entourage du Prophète, ces faits dénotaient une invasion du divin, alors que ses ennemis y voyaient des signes de possession, assimilables à l'inspiration du devin ou du poète. Mais pour Mohammed comme pour ses proches, ces faits étaient secondaires. Le plus important, c'était ce que le Prophète entendait, ce qui faisait l'objet de la communication: les mots arabes venant d'Allah, prononcés par la voix d'un ange ou d'un esprit qui parlait au nom de Dieu. Revenu à son état normal, le Prophète se souvenait de ces paroles, qu'il pouvait et devait communiquer selon le commandement fréquemment donné dans le Coran: «*Qoul...*» («Dis...»). Le prophète récitait alors les versets en style direct. Dans le Coran, c'est toujours Allah qui parle, utilisant généralement le pluriel de majesté («nous»).

Dans leur rythme et leurs assonances, les versets révélés se distinguaient de l'arabe parlé communément. Même s'ils possédaient une grande puissance d'évocation poétique, ils ne correspondaient pourtant pas aux critères formels de la poésie arabe. Pour Mohammed, il était clair que les paroles reçues en état de révélation (*wahy*), qu'il transmettait ensuite au nom d'Allah, étaient différentes de celles dont il faisait usage à titre personnel. Cette distinction était établie par le Coran lui-même (Cor. 75:16-19):

Ne remue pas ta langue en le [recevant],
pour en hâter [la révélation].

C'est à nous qu'il appartient de le rassembler
[et de le réciter.
Alors, quand nous le récitons, suis-en la récitation.
C'est à nous, ensuite de le faire comprendre.

Ce passage souligne le caractère oral et auditif de la révélation coranique: ces paroles étaient d'abord faites pour être récitées à haute voix. C'est la raison pour laquelle le texte écrit, et à plus forte raison la traduction, ne rendent compte que très approximativement de la force d'incantation et d'interpellation, de même que de l'impact profond de la sonorité des mots sur l'auditeur.

Perçus de façon auditive par Mohammed, les versets du Coran furent d'abord confiés à la mémoire collective et transmis de bouche à oreille. Il semble bien que c'est seulement après l'installation du Prophète à Médine que l'on commença à mettre par écrit certains passages du Coran sur des matériaux de fortune (omoplates de chameau, pièces de cuir). Mohammed favorisait cette pratique mais ne la considérait pas comme une entreprise systématique. Il la laissait au zèle de certains individus.

Après la mort du Prophète, on commença à s'inquiéter du sort des révélations coraniques. Elles étaient bien vivantes dans la mémoire des «récitants» (*qourra*), qui les avaient apprises par cœur, mais plusieurs d'entre eux perdaient la vie dans les batailles. C'est pourquoi le calife[1] Abou Bakr (632-634) s'employa à regrouper les fragments écrits. Mais ce regroupement ne semble pas avoir supplanté les autres collections personnelles qui continuaient d'exister.

Une vingtaine d'années plus tard, le calife Othman (644-656) procéda à une recension systématique à partir du recueil

1. Calife: de l'arabe *Khalifa,* «successeur» du Prophète en tant que chef de la communauté musulmane.

d'Abou Bakr et de fragments dispersés. Cette recension aboutit au texte officiel qui fut ainsi à peu près fixé pour les siècles à venir. Le système d'écriture utilisé à cette époque ne comportant pas de signes pour les voyelles, le texte écrit n'était qu'une sorte d'aide-mémoire pour la tradition orale. Mais le groupe des «récitants» continuait de s'agrandir aux quatre coins de l'empire musulman et, graduellement, les variantes de lecture devenaient plus nombreuses. Aussi, sous le califat de 'Abd al-Malik (685-705), on améliora le système d'écriture en introduisant, notamment, des signes précis pour les voyelles.

Le rôle des récitants n'en conserva pas moins son importance, et ce n'est qu'au Xe siècle que l'on arrêta à sept le nombre des «lectures» (versions) autorisées. Ces «lectures» ne divergeaient du reste que sur des points assez mineurs qui n'entamaient généralement pas le sens du texte. On peut donc dire, d'une façon globale, que le texte actuel du Coran rapporte d'une manière assez fidèle les paroles transmises par Mohammed.

Ainsi, les paroles entendues et répétées par Mohammed ont traversé les siècles sous la forme d'un Livre sacré, écrit plus durable que l'expérience momentanée où le Livre s'enracine. Ce Coran que possèdent les hommes est lui-même une réplique partielle d'un original gardé au Ciel et appelé «Mère du Livre» ou «Livre-Mère» (Cor. 85:21-22):

> Ceci est un Coran glorieux
> gravé sur une Table gardée.

Ou (Cor. 43:2-4):

> Par le Livre clair!
> Oui, nous en avons fait un Coran en arabe!
> peut-être, alors, comprendrez-vous!
>
> Il existe dans la Mère du Livre,
> auprès de nous, sublime et sage.

De ce Livre céleste, Allah a révélé aux hommes ce qu'ils devaient savoir afin de servir Dieu sur terre et d'ainsi recevoir le bonheur de l'au-delà. Il ne s'agit donc pas d'un enseignement systématique, dispensé selon une logique humaine: il s'agit plutôt d'une série de «flashes» laissant entrevoir, de façon discontinue, les fragments du Livre céleste susceptibles d'orienter la vie de l'homme.

Présentation chronologique

Tel qu'il se présente aujourd'hui, le Coran n'est pas facile d'accès pour des Occidentaux voués au culte de «l'ordre» et de la «logique». Par son aspect touffu et désorganisé, il résiste à une curiosité trop impatiente et provoque une frustration chez celui qui l'aborde d'un point de vue purement intellectuel.

Dans l'espoir d'apprivoiser ce Livre dans lequel des millions d'hommes trouvent un sens à leur vie, des Occidentaux[2] ont fait un premier pas en essayant de reclasser les chapitres du Coran selon leur séquence chronologique. Les grandes lignes de ce que l'Occidental perçoit comme étant le développement progressif[3] de la pensée coranique étant ainsi reconstituées, le Coran semble dès lors beaucoup plus abordable. Le tableau qui suit schématise les résultats de cette recherche.

---

2. Il s'agit en premier lieu du spécialiste allemand T. Nöldeke. Sa classification est reprise et prolongée par Régis Blachère: *Le Coran,* 3 vol., Paris, Maisonneuve, 1947-1951, et *Le Coran,* Paris, PUF («Que sais-je?», n° 1245), 1966.

3. Si elle implique que le Coran est le produit d'une pensée humaine évoluant avec le temps, cette expression n'est évidemment pas acceptable pour des musulmans.

Périodes de prédication	*Sourates (chapitres)*	*Style*	*Grands thèmes*
La Mecque I (± 610-615)	53-114	Versets courts, style poétique, interpellant, incantatoire	— Annonce du jugement dernier («Jour du Jugement») — Dénonciation de l'injustice et de l'inconscience des riches Mecquois — Affirmation de la mission divine de Mohammed — Dieu, Allah: très grand, généreux, unique (mais pas de condamnation rigoureuse du polythéisme)
La Mecque II (± 615-619)	22 sourates entre s. 18 et s. 53	Versets plus longs, style plus polémique que lyrique	— Allah: strictement unique (rejet de toute autre divinité) — Les prophètes, envoyés par Dieu, persécutés comme Mohammed: exemples d'Abraham, Moïse, Jésus... — Rappel du rôle prophétique de Mohammed
La Mecque III (± 619-622)	22 sourates, diversement réparties dans le Coran	Style oratoire, forme ample, chargée d'incidentes	— Reprise des thèmes de la période précédente — La révélation du Coran et l'Islam: preuve de la bonté et de la toute-puissance d'Allah — Menace aux Mecquois incrédules, irrécupérables
Médine (± 622-632)	24 sourates (dont les plus longues du Coran: s. 2 à 5) diversement réparties	Versets longs; style varié (oratoire, poétique, impératif, réaliste, etc.)	— Reprise des thèmes de La Mecque — Dispositions pratiques (politiques, juridiques, religieuses) régissant la communauté musulmane — Prises de position à l'égard des «Gens du Livre» (juifs et chrétiens)

Présentation thématique

Le Coran n'est pas un exposé systématique de l'Islam. Mais, si on le considère de façon globale, il en émerge un ensemble cohérent qui caractérise la foi et la religion musulmanes. Nous essaierons d'évoquer ici certaines lignes de force du Coran regroupées autour de quelques grands thèmes.

Les musulmans considèrent souvent comme une sorte de condensé de leur foi la formulation suivante (Cor. 4:136):

> Ô vous qui croyez!
> Croyez en Allah et en son Prophète,
> et au Livre qu'il a révélé auparavant.
>
> Quiconque ne croit pas en Allah, à ses anges,
> à ses Livres, à ses prophètes et au Dernier Jour,
> se trouve dans un égarement profond.

Dieu

Le terme arabe *Allah* est une forme contractée de *al-ilah*, «Le dieu». Le concept d'un Dieu suprême n'était pas étranger aux Arabes, et le terme Allah leur était familier. Mais le Coran va donner à ce concept un contenu nouveau et plus étoffé en le purifiant des éléments de polythéisme qui l'entourent. À une figure vague et distante, le Coran substitue un Être transcendant mais intensément réel et personnel, créateur et soutien de l'univers, omniscient et tout-puissant, arbitre du bien et du mal et juge de tous les hommes au Dernier Jour.

La «physionomie» d'Allah se dessine dans les quatre-vingt-dix-neuf «plus beaux noms» d'Allah que les musulmans ont tiré du Coran: il s'agit d'adjectifs arabes qui décrivent Allah comme Celui qui entend, voit, donne, se souvient, pardonne, protège, guide, etc. Parfois, des passages plus longs explicitent ces qualificatifs, comme le fait par exemple le «verset du Trône» (Cor. 2:255):

Allah! Il n'y a de dieu que lui:
Le Vivant, l'Éternel!

Ni l'assoupissement ni le sommeil
n'ont de prise sur lui!
C'est à lui qu'appartient
tout ce qui est dans les cieux et sur la terre!

Qui pourra bien intercéder auprès de lui,
sans sa permission?

Il sait
ce qui se trouve devant les hommes et derrière eux,
alors que ceux-ci ne saisissent, de sa science,
  que ce qu'il veut.

Son trône s'étend sur les cieux et sur la terre,
les maintenir dans l'existence
  ne lui pèse pas.
Il est le Très-Haut, le Formidable.

Le Coran revient souvent sur l'affirmation monothéiste: Allah est un, unique; il est séparé de tout ce qui est créé; lui «associer» (*shirk*) un être créé, c'est se rendre coupable d'un crime impardonnable (Cor. 4:116):

Allah ne pardonne pas
qu'on lui associe quoi que ce soit.
Il pardonne à qui il veut
des fautes moins graves que celle-là...

Allah est mystérieux, il est «Celui qui demeure caché» (Cor. 57:3), et «les regards des hommes n'atteignent pas Allah» (Cor. 6:103). Pourtant, il est proche de l'homme, «plus près de lui que la veine de son cou» (Cor. 50:16); sa présence entoure l'homme (Cor. 2:115):

L'est et l'ouest appartiennent à Allah:
que vous vous tourniez d'un côté ou de l'autre,
la Face d'Allah est là!
Allah est présent partout et il sait.

Allah est tout-puissant, il crée ce qu'il veut par la seule force de sa Parole: «Lorsque nous voulons une chose, nous n'avons qu'à lui dire: sois et elle est.» (Cor. 16:40) C'est ainsi qu'il a créé le ciel et la terre (Cor. 27:60-61):

N'est-ce pas lui qui a créé les cieux et la terre
et qui, pour vous, a fait descendre du ciel une eau
avec laquelle nous faisons croître
des jardins pleins de beauté
dont vous ne pourriez faire pousser les arbres?
— Ou bien existe-t-il une divinité à part Allah? —

N'est-ce pas lui qui a établi la terre
comme un lieu habitable;
qui a fait courir les rivières,
qui a placé les montagnes sur la terre
et une barrière entre les deux mers?
— Ou bien existe-t-il une divinité à part Allah? —

L'univers créé et les phénomènes de la nature sont autant de «signes» qui devraient amener l'homme à comprendre que le Créateur est unique, tout-puissant et généreux (Cor. 2:163-164):

Votre Dieu est un Dieu unique!
Il n'y a de dieu que lui,
le Bienveillant, le Compatissant.

Dans la création des cieux et de la terre,
dans l'alternance de la nuit et du jour,
dans le navire qui vogue sur la mer
  portant ce qui sert aux hommes,
dans l'eau qu'Allah fait descendre du ciel,
  faisant ainsi revivre la terre après sa mort
  et la peuplant de toutes sortes d'animaux,
dans la variation des vents,
dans les nuages assignés entre le ciel et la terre
il y a vraiment des signes
pour un peuple qui comprend!

Et (Cor. 3:190-191):

> Dans la création des cieux et de la terre,
> dans l'alternance de la nuit et du jour,
> il y a vraiment des signes
> pour ceux qui ont de l'intelligence,
> qui pensent à Allah, debout, assis ou allongés
> et qui réfléchissent sur la création des cieux et de la terre.

Les hommes, eux aussi, ont été créés par Allah (Cor. 4:1):

> Ô vous les hommes!
> Craignez votre Seigneur
> qui vous a créé d'un seul être,
> puis, de celui-ci, a créé sa compagne,
> et, de ce couple, a répandu au loin
> une multitude d'hommes et de femmes.

En créant chaque être, Allah lui communique un ordre, un commandement qui règle son fonctionnement et le situe dans la bonne marche globale de l'univers. Au Jour du Jugement, chaque être aura à répondre de cet ordre. L'homme, souvent rappelé à l'ordre par les Prophètes, sera puni ou récompensé selon ses actions (Cor. 40:15-16):

> Allah lance l'Esprit de son commandement
> sur qui il veut parmi ses serviteurs
> avec la mission d'avertir les hommes
> du Jour de la Rencontre,
> du Jour où ils comparaîtront,
> alors que rien de ce qui les concerne
> ne sera caché pour Allah.

Et (Cor. 7:8-9):

> Ce jour-là, ce sera la vraie pesée;
> ceux dont le plateau sera lourd [dans la balance],
> voilà ceux qui seront heureux.

Ceux dont le plateau sera léger,
voilà ceux qui seront perdus,
parce qu'ils ont brouillé nos Signes.

À cause de sa faiblesse, l'homme doit craindre le verdict final de ce Juge impartial. Mais Allah est aussi, et peut-être davantage, le Compatissant, le Clément, celui qui pardonne, celui qui porte secours à la faiblesse de l'homme en lui envoyant les Livres qui tracent clairement le chemin à suivre en cette vie.

Ce bref survol ne peut qu'esquisser les traits d'Allah dans le Coran. Nous citerons, en terminant, la parabole du «verset de la Lumière», verset favori des mystiques musulmans qui y voient l'image de l'Absolu qu'ils recherchent, Allah, à la fois proche et insaisissable (Cor. 24:35):

Allah est la Lumière des cieux et de la terre.
Sa Lumière est comparable à une niche
  où se trouve une lampe.
La lampe est dans un verre
c'est comme si le verre était une étoile brillante.

Cette lampe est allumée à un arbre béni:
un olivier qui ne provient
  ni de l'Orient, ni de l'Occident
et dont l'huile serait sur le point d'éclairer
sans que le feu la touche.

Lumière sur Lumière!
Allah guide, vers sa lumière, qui il veut.
Allah propose aux hommes des paraboles.
Allah connaît toute chose.

Les anges

Le Coran fait souvent allusion aux anges, qui sont présentés comme les messagers d'Allah. C'est ainsi qu'ils sont envoyés auprès d'Abraham[4], de Lot[5], de Zacharie[6] et de Marie mère de Jésus[7]. Gabriel sert d'intermédiaire entre Allah et Mohammed[8]. À la bataille de Badr, les anges viennent en aide aux musulmans (Cor. 3:124-126):

> Lorsque tu disais aux croyants:
> «Ne vous suffit-il pas que votre Seigneur vous prête main forte?
> avec trois mille de ses anges descendus vers vous?»
>
> Oui, si vous êtes patients,
> si vous craignez Allah,
> et que vos ennemis vous assaillent,
> votre Seigneur vous enverra en renfort
> cinq mille de ses anges qui fonceront sur eux.
>
> Allah n'a fait cela
> qu'en guise de bonne nouvelle pour vous,
> pour que vos cœurs soient rassurés.
> La victoire ne vient que d'Allah, le Puissant, le Juste...

Créés par Allah à partir du feu, les anges «célèbrent ses louanges nuit et jour» (Cor. 21:20); ils protègent le ciel des incursions indiscrètes des démons (Cor. 37:1-10); au Jour du Jugement, ils porteront le trône d'Allah (Cor. 40:7); en vue de ce Jugement, deux anges se tiennent de chaque côté de l'homme pour faire le compte de ses actions. En plus de l'ange de la mort (Cor. 32:11), il y a des anges qui recueillent les âmes des hommes à leur mort (Cor. 6:61). Témoins de l'agir de l'homme, les anges sont aussi ses intercesseurs auprès d'Allah (Cor. 40:7-8):

---

4. Cor. 11:69; 15:51-57; 29:31; 51:24-31.
5. Cor. 11:74, 77-83; 15:57-75; 26:160-161; 29:31-35; 51:31-37.
6. Cor. 3:38-41.
7. Cor. 3:42-43, 45-47; 19:19-21.
8. Cor. 2:97-98.

Ceux qui portent le Trône
et ceux qui se tiennent autour
proclament les louanges de leur Seigneur.
Ils croient en Lui,
ils demandent son pardon pour les croyants:
«Notre Seigneur!
Tu enveloppes toute chose
de ta Miséricorde et de ta Science:
pardonne à ceux qui se repentent,
à ceux qui suivent ton chemin!
Épargne-leur le châtiment de l'enfer!
Notre Seigneur!
Fais-les entrer dans les jardins d'Éden
que tu leur a promis,
ainsi qu'à ceux de leurs pères, de leurs épouses
et de leurs descendants qui sont droits.
Tu es le Puissant, le Sage.»

La création du premier homme, Adam, semble avoir été un moment décisif pour les anges: Allah leur demandait de reconnaître la suprématie de l'homme; les récits de cet épisode indiquent en même temps le rôle perturbateur d'Iblis, appelé aussi Satan (*Shaytan*) (Cor. 2:30-33):

Lorsque ton Seigneur dit aux anges:
«Je vais établir un lieutenant sur la terre»,
ils dirent:
«Vas-tu y établir quelqu'un qui fera le mal
et répandra le sang,
tandis que nous, nous célébrons tes louanges
[en te glorifiant
et proclamons ta sainteté?»

Le Seigneur dit:
«Je sais ce que vous ne savez pas.»

Il apprit alors à Adam le nom [de tous les êtres],
et les présenta aux anges en disant:

> «Maintenant, dites-moi leurs noms,
> si vous êtes véridiques.»
>
> Ils dirent:
> «Gloire à toi
> Nous ne savons rien
> à part ce que tu nous a enseigné;
> vraiment, tu es celui qui sait tout, le Sage.»
>
> Il dit:
> «Ô Adam!
> Fais-leur connaître le nom de ces êtres!»

Et (Cor. 15:28-31, 34-35, 39-40):

> Lorsque ton Seigneur dit aux anges:
> «Je vais créer un mortel
> d'une argile de boue façonnée.
> Après que je l'aurai façonné
> et que j'aurai insufflé en lui mon Esprit
> tombez prosternés devant lui.»
> Tous les anges se prosternèrent ensemble,
> Sauf Iblis, qui refusa de se prosterner.
>
> [...]
>
> Allah dit:
> «Sors d'ici!
> Car tu es maudit!
> Et la malédiction sera sur toi
> jusqu'au Jour du Jugement!»
>
> [...]
>
> Iblis dit:
> «Mon Seigneur!
> Parce que tu m'as mis dans l'erreur,
> je leur montrerai sur la terre le chemin du mal.
> Je les jetterai tous dans l'erreur,
> sauf ceux de tes serviteurs qui sont sincères!»

À côté des anges, il y a les *djinn* («génies»). Ces esprits mystérieux, connus des Arabes avant l'Islam, entendent la lecture du Livre sacré[9]; certains d'entre eux ont la foi, d'autres sont incrédules. Ils seront tous jugés en même temps que les hommes: les *djinn* incrédules (probablement les «démons») seront punis pour le tort qu'ils auront fait à l'homme. Ils peuvent en effet pénétrer à l'intérieur de l'homme, qui devient alors *madjnoun* (fou ou sorcier possédé par les *djinn*).

L'homme

Il n'est pas aisé de dégager du Coran une conception globale de l'homme. En fait, dans la plupart des ouvrages traitant du Coran ou de l'Islam, «l'homme» ne figure pas parmi ce qu'on appelle «les grands thèmes du Coran». Il n'y a rien d'étonnant à cela, puisque le Coran n'est pas un traité de philosophie ou d'humanisme, mais un «Livre d'avertissement et de direction». Le but central du Coran n'est pas de dire à l'homme *ce qu'il est* mais *ce qu'il doit faire* pendant cette période décisive de tension entre les deux pôles que sont la création de l'homme et la Vie future. C'est précisément pour éclairer et guider cette période d'entre-deux qu'Allah a envoyé aux hommes des Prophètes et des Livres (Révélation).

La doctrine des Prophètes et des Livres laisse pourtant entrevoir une conception sous-jacente de l'homme dans le Coran: si l'homme a besoin des Livres et des Prophètes, c'est, semble-t-il, parce que laissé à lui-même, il est incapable de conduire efficacement sa vie terrestre en fonction de sa destinée future. Cette incapacité n'est pas due à une «faute originelle[10]», mais à sa nature même. Pour le Coran, l'homme n'est pas un être puni et déchu à cause d'une faute; il a tout

9. Cor. 46: 29-31; 72:1-15.

10. Le Coran raconte la tentation et la désobéissance d'Adam dans le Jardin (Cor. 20:117-123), mais ce récit est plus court que le récit de la Bible et ne semble pas avoir la même portée.

simplement, suivant les paroles du Livre, *été créé* faible, impatient, versatile, misérable, téméraire[11]. Dès lors, on comprend plus facilement la méfiance de certains musulmans à l'égard des postulats de la civilisation moderne, postulats qui manifestent une confiance presque illimitée dans le potentiel de l'homme laissé à lui-même.

Dans l'optique du Coran, l'homme a besoin, dès le début, qu'on lui dise comment il doit agir: Adam, le premier homme, est un Prophète, un instrument par lequel Allah communique sa Volonté aux hommes. C'est ainsi qu'il conclut un pacte avec Adam (Cor. 20:115):

> Nous avons établi une alliance avec Adam,
> mais il l'oublia.
> Nous n'avons trouvé en lui aucune constance.

Déjà, on voit s'amorcer une séquence qui se répétera plusieurs fois dans l'histoire de l'humanité: dans sa bonté, Allah envoie aux hommes un Messager pour leur indiquer le chemin à suivre, mais le Messager est persécuté, et le Message vite oublié; la faiblesse de l'homme le pousse alors dans l'égarement, jusqu'au moment où Allah envoie un autre Prophète, et la même séquence recommence. Ainsi, l'histoire des hommes n'apparaît pas comme un déroulement progressif: l'impression qui domine, c'est celle d'une suite discontinue d'interventions divines cristallisées dans les Livres transmis par les Prophètes.

Le rôle central donné à la Révélation (les Livres, les Prophètes) dans le Coran implique que la faiblesse de l'homme se situe plus au niveau de l'intelligence qu'à celui de la volonté: le grand problème de l'homme, c'est qu'*il ne sait pas* comment il doit agir, et qu'il l'*oublie* quand Allah le lui apprend. Le Coran semble prendre pour acquis que, lorsque l'homme connaît la volonté d'Allah, il est capable de la réaliser: c'est

11. Cf. Cor. 4:28; 30:54; 21:37; 70:19; 90:4; 33:72.

là une facette assez optimiste de la conception coranique de l'homme.

Les Prophètes

Au total, le Coran fait mention de vingt-huit Prophètes: de ce nombre, dix-huit sont des figures bibliques de l'Ancien Testament, et trois du Nouveau Testament (Zacharie, Jean le Baptiste et Jésus). L'histoire de Joseph (fils de Jacob) occupe toute la sourate 12. Parmi tous les Prophètes évoqués, quatre prédominent, en plus de Mohammed. Il s'agit, par ordre chronologique, de Noé, d'Abraham, de Moïse et de Jésus fils de Marie.

Le Coran présente NOÉ (Cor. 11:25-49) comme un Prophète «dirigé par Allah» et envoyé par lui pour «avertir» ses compatriotes que «le tourment d'un Jour douloureux» s'en vient. Mais les incrédules lui répondent de la même façon que les Mecquois répondront à Mohammed: «Nous ne voyons en toi qu'un mortel semblable à nous.» (Cor. 11:27 et 23:24) Noé répond, comme le fera Mohammed (Cor. 11:31 et 6:50):

> Je ne vous dis pas:
> «Je possède les trésors de Dieu»,
> car je ne connais pas le mystère incommunicable.
> Je ne vous dis pas:
> «Je suis un Ange!»

Noé est «soumis à Dieu» («musulman»), et son Arche symbolise la reprise du pacte primordial, après le déluge.

ABRAHAM, l'«ami d'Allah», est le Prophète de la foi en un Dieu *unique*: dans un des récits (Cor. 21:51-69), on voit le jeune Abraham briser les idoles qu'adoraient les siens et contester la croyance des anciens, comme le fera Mohammed. C'est pour avoir fait cela qu'Abraham dut «s'éloigner de son père et des idolâtres» (Cor. 19:46-48). Le Prophète est reconnu comme le «père de ceux qui croient en un Dieu Unique». «La religion d'Abraham» consiste à «se soumettre» parfaitement à

Allah. Ainsi, Abraham est prêt à immoler le fils qu'un prodige d'Allah lui a accordé (Cor. 37:102-109), mais Allah arrête son geste et substitue le «sacrifice solennel» à cette immolation. En souvenir de ce sacrifice, les musulmans ont conservé la coutume d'immoler un mouton le dixième jour du mois de pèlerinage. Le Coran ne précise pas le nom du fils d'Abraham qui allait être sacrifié, mais la Tradition musulmane affirme que c'était Ismaël, que la Bible considère comme l'ancêtre des Arabes et que le Coran mentionne parmi les Prophètes (Cor. 19:54-55). Le Coran présente aussi Abraham comme le fondateur du sanctuaire («la Maison») de la *Ka'ba* à La Mecque, ainsi que des rites que les musulmans continuent à observer (Cor. 22:26):

> [Quand] Nous avons établi, pour Abraham,
> l'emplacement de la Maison:
> «Ne m'associe rien;
> purifie ma Maison
> pour ceux qui accomplissent les circuits,
> pour ceux qui s'y tiennent debout,
> pour ceux qui s'inclinent et qui se prosternent.»

Si Abraham est «l'ami d'Allah», MOÏSE est, dans le Coran, «l'interlocuteur d'Allah» (Cor. 4:164), celui à qui Allah a parlé comme «à un confident» (Cor. 19:52). Son histoire est en substance celle du Moïse de la Bible. Sauvé par l'intervention d'Allah alors qu'il était enfant (Cor. 20:39), Moïse est choisi pour témoigner de l'unicité d'Allah (Cor. 20:11-15). Il est envoyé à Pharaon et aux Égyptiens incrédules. Après une série de signes prodigieux et de châtiments aux Égyptiens[12], Moïse traverse la mer Rouge avec les Hébreux (Cor. 20:77) et passe quarante ans dans le désert (Cor. 5:26). Alors qu'il séjourne avec son peuple au pied du mont Sinaï, Moïse se rend à «la rencontre d'Allah». Cet épisode est raconté dans un

12. Cf. Cor. 26:31-51; 17:101; 7:133.

passage du Coran qui sera souvent commenté et pris comme symbole par les mystiques musulmans (Cor. 7:143-144):

> Lorsque Moïse vint à notre rendez-vous,
> et que son Seigneur lui parla, il dit:
> «Mon Seigneur,
> montre-moi [ta face] pour que je te voie!»
>
> Le Seigneur dit:
> «Tu ne me verras pas,
> mais regarde vers la Montagne:
> si elle reste immobile à sa place,
> tu me verras!»
>
> Mais lorsque son Seigneur se manifesta sur la Montagne
> celle-ci s'écrasa en miettes,
> et Moïse tomba évanoui.
>
> Lorsqu'il eut repris ses sens, il dit:
> «Gloire à toi!
> Je reviens à toi
> Je suis le premier des croyants!»
>
> Le Seigneur dit:
> «Ô Moïse!
> je t'ai choisi de préférence à tous les hommes
> pour [que tu transmettes] mes messages et ma Parole.»

Pendant ces quarante jours de rencontre, Allah remit à Moïse les Tables de la Loi (Cor. 7:142, 145).

Dans le Coran, JÉSUS fils de Marie occupe, en tant que Prophète, une place privilégiée. Marie (*Maryam*) est le seul nom propre féminin mentionné dans le Coran. Avant même sa naissance, Marie est consacrée à Allah par sa mère enceinte et, enfant, elle vit au Temple (Cor. 3:33-37). C'est là que se manifeste la prédilection d'Allah à son égard (Cor. 3:42):

> Les anges dirent:
> «Ô Marie!

Voici qu'Allah t'a choisie;
il t'a purifiée,
il t'a choisie
de préférence à toutes les femmes de l'univers.»

La faveur d'Allah se poursuit dans la naissance virginale de Jésus racontée par le Coran (Cor. 19:17, 19-26):

Nous lui [Marie] avons envoyé notre esprit,
qui se présenta à elle
sous les traits d'un homme parfait.

[...]

Il dit:
«Je ne suis que l'envoyé de ton Seigneur
pour te gratifier d'un garçon pur.»

Elle dit:
«Comment aurais-je un garçon
alors qu'aucun mortel ne m'a jamais touchée
et que je n'ai pas agi en prostituée?»

Il dit:
«Il en sera ainsi,
puisque ton Seigneur a dit:
"Cela m'est facile;
ainsi, nous ferons de lui
un Signe pour les hommes,
une miséricorde venue de nous.
C'est chose décidée!"»

Elle devint enceinte de l'enfant
et se retira avec lui dans un endroit éloigné.

Les douleurs de l'accouchement la surprirent
auprès du tronc d'un palmier.
Elle dit:
«Je souhaiterais être déjà morte
et complètement oubliée!»

Mais l'enfant qui naissait l'appela:
«Ne t'attriste pas!
Ton Seigneur a fait couler un ruisseau à tes pieds.

Secoue vers toi le tronc du palmier;
il en tombera pour toi des dattes fraîches et mûres.
Alors mange, bois et sois réconfortée.»

La vie de Jésus est une suite de prodiges et de miracles visant à authentifier son Message auprès de ses compatriotes incrédules (Cor. 5:110):

Allah dit:
«Ô Jésus, fils de Marie!
Rappelle-toi mes marques de prédilection
envers toi et envers ta mère.
Je t'ai fortifié par l'Esprit de Sainteté,
pour que, dès le berceau, tu parles aux hommes
comme un homme mûr.
Je t'ai enseigné le Livre, la Sagesse,
La Torah et l'Évangile.

Tu as créé, de glaise, une forme d'oiseau
— avec ma permission —
Tu as soufflé en elle et elle est devenue oiseau
— avec ma permission —

Tu as guéri l'aveugle et le lépreux
— avec ma permission —
Tu as ressuscité les morts
— avec ma permission —

Je t'ai protégé des enfants d'Israël,
quand tu es venu à eux avec des preuves claires;
ceux d'entre eux qui étaient incrédules dirent:
"De toute évidence, ce n'est là que de la magie!"»

À la demande des apôtres, la prière de Jésus fait descendre du ciel une «table servie» (Cor. 5:112-115). Pourtant, le

Jésus du Coran n'est ni Dieu, ni le fils de Dieu[13]; les juifs ne l'ont pas crucifié: c'était là seulement une «apparence» (Cor. 4:157). Il ressuscitera, comme les autres mortels (Cor. 19:33) et, au Jour du Jugement, il apparaîtra comme «un signal de l'Heure» (Cor. 43:61).

Comme les Prophètes qui l'ont précédé, MOHAMMED est, d'après le Coran, un avertisseur, un annonciateur, un témoin[14]. Mais son rôle est encore plus décisif: il est le dernier des Prophètes, celui qui scelle la Révélation (Cor. 33:40). Tout en rappelant et en confirmant les Livres antérieurs, le Message qu'il apporte est complet et définitif. Selon le Coran, Jésus avait prédit la venue d'Ahmed (Mohammed) (Cor. 61:6):

> Ô fils d'Israël!
> Je suis, en vérité,
> Le Prophète d'Allah envoyé vers vous,
> Pour confirmer la Torah,
> qui existait avant moi;
> pour vous annoncer la bonne nouvelle
> d'un Prophète qui viendra après moi,
> dont le nom sera Ahmed.

À la vision qui marqua les débuts de la mission de Mohammed (Cor. 53:1-12) est reliée l'expérience du «voyage nocturne» de La Mecque à Jérusalem (Cor. 17:1):

> Gloire à celui qui a fait voyager de nuit son serviteur
> de la mosquée sacrée à la Mosquée très éloignée
> dont nous avons béni l'enceinte,
> et ceci pour lui montrer certains de nos Signes.

De cette sobre affirmation du Coran, la Tradition musulmane fera une description détaillée de «l'Ascension» du Prophète: accompagné de Gabriel et porté par une monture mystérieuse, Mohammed traverse les «sept cieux» et se trouve

13. Cf. Cor. 5:17,72; 9:31; 4:171; 9:30; 19:34-35.
14. Cf., entre autres passages: Cor. 7:184; 2:119; 33:45.

devant le Trône d'Allah. Dans cette expérience, les mystiques verront le prototype du voyage vers Allah qu'est la vie mystique.

Mohammed apparaît dans le Coran comme «un simple mortel semblable aux autres» (Cor. 18:110; 41:6), un homme qui n'est pas sans faute (Cor. 40:55) mais qui, en être sensible, prend à cœur le sort de ses compatriotes incrédules (Cor. 6:35):

> Le rejet des incrédules t'afflige;
> si tu le pouvais, tu souhaiterais
> creuser un trou dans la terre
> ou élever une échelle dans le ciel
> pour leur en rapporter un Signe.

Ou (Cor. 18:6):

> Tu vas peut-être,
> s'ils ne croient pas à ce récit,
> te consumer de peine sur leur conduite.

Soucieux de rallier à lui ses compatriotes, Mohammed ne peut toutefois accommoder le Message à leurs désirs, car il n'est lui-même que l'instrument de la Révélation. Il n'en est pas l'auteur; il n'y a pas là matière à compromis (Cor. 10:15):

> Lorsque nos versets leur sont récités
> comme des Signes clairs,
> ceux qui n'attendent pas notre rencontre disent:
> «Apporte-nous un autre Coran [Récitation],
> ou bien change celui-ci!»
>
> Dis:
> «Il ne m'appartient pas de le changer
> de mon propre chef:
> je ne fais que me conformer à ce qui m'a été révélé.
> Oui, je crains, si je désobéis à mon Seigneur,
> le châtiment d'un Jour terrible.»

Le Coran n'attribue aucun miracle à Mohammed. Aux incrédules qui demandent un miracle pour croire (Cor. 17:90-

93), le Coran réplique en les mettant au défi de produire des versets comparables à ceux du Coran (Cor. 17:88):

> Dis:
> «Même si les hommes et les *djinn* s'unissaient
> pour produire quelque chose de semblable à ce Coran,
> ils ne produiraient rien qui lui ressemble,
> même s'ils s'entraidaient.»

Accusé d'être un poète, un possédé, un magicien, Mohammed est rassuré par le Coran: «Tu n'es, par la grâce de ton Seigneur, ni un devin, ni un possédé...» (Cor. 52:29) Son Message, comme celui des autres Prophètes, dérange les gens bien installés, qui essaient de justifier leur opposition en contestant la personne du Messager (Cor. 34:34-35):

> Nous n'avons jamais envoyé d'Avertisseur à une cité
> sans que ceux qui y vivent dans l'aisance ne disent:
> «Nous sommes incrédules envers le message que vous apportez.
> Nous sommes bien pourvus
> de richesses et d'enfants,
> et nous ne serons pas châtiés.»

Dans la perspective du Coran, le Message prêché par tous les Prophètes est fondamentalement le même, au-delà des détails, dans lesquels il y a eu évolution d'un Prophète à l'autre, et cela jusqu'à la Révélation finale transmise par Mohammed. Les musulmans sont donc invités à répéter (Cor. 2:136):

> Nous croyons en Allah,
> à ce qui nous a été révélé;
> à ce qui a été révélé
> à Abraham, à Ismaël, à Isaac,
> à Jacob et aux tribus;
> à ce qui a été donné à Moïse et à Jésus

à ce qui a été donné aux Prophètes
  de la part de leur Seigneur.
Nous ne faisons pas de discrimination
  à l'égard d'aucun d'entre eux.
Nous nous sommes soumis à Allah.

Les Livres

Les divers moments ou stages de la Révélation sont représentés par plusieurs Livres donnés à certains des plus grands Prophètes. Quatre de ces Livres sont mentionnés, nommément: la *Tawrah* (la Torah juive) donnée à Moïse, le *Zabour* (les Psaumes) donné à David, l'*Indjil* (l'Évangile) donné à Jésus, et le Coran, donné à Mohammed.

Mais, en dernière analyse, tous ces Livres n'arrivent pas à circonscrire Allah et sa Parole (Cor. 18:109):

À supposer que la mer deviendrait une encre
pour écrire les paroles de mon Seigneur,
la mer serait à coup sûr tarie
avant que ne tarissent les paroles de mon Seigneur,
même si nous apportions encore
une quantité d'encre égale à la première.

Le Dernier Jour et la vie future

Si les Prophètes sont des avertisseurs, c'est que quelque chose s'en vient, dont les hommes doivent à tout prix être avertis avant qu'il ne soit trop tard. Ce qui s'en vient, c'est le Dernier Jour, le Jour du Jugement: à la fin du monde, la résurrection des morts, le Jugement dernier qui conduira les hommes au ciel ou en enfer pour l'éternité.

Le Coran présente le Jour du «Retour» de l'homme vers Allah comme un jour terrible, redoutable. À un moment que Dieu seul connaît (Cor. 56:50), et en un clin d'œil (Cor. 16:77), un cataclysme soudain viendra bouleverser l'univers: au son de la trompette, le ciel se fendra, les étoiles se disperseront, la lune et le soleil se réuniront, la terre sera ébranlée et les montagnes seront réduites en poussière[15].

De la terre entrouverte sortiront les morts (Cor. 50:44), ressuscités par Allah (Cor. 22:7). Face aux incrédules, le Coran affirme plusieurs fois la réalité de la Résurrection et en montre la congruence (Cor. 19:66-67):

> L'homme dit:
> «Lorsque je serai mort,
> me ramènera-t-on en vie?»
>
> L'homme ne se souvient-il pas
> que nous l'avons créé autrefois,
> alors qu'il n'était rien?

Et (Cor. 46:33):

> Ne voient-ils pas qu'Allah,
> qui a créé les cieux et la terre
> sans avoir été fatigué par leur création,
> est capable de rendre la vie aux morts?

Et (Cor. 30:50):

> Considère les traces de la bienfaisance d'Allah,
> et comment il fait vivre la terre après sa mort.
> C'est précisément lui qui fait revivre les morts.
> Il a puissance sur toute chose.

En ce «Jour du Rassemblement» de tous les hommes, Allah sera leur Juge; les actions seront minutieusement pesées, et le compte sera fait. Chaque pécheur portera son propre fardeau (Cor. 53:38), et le sort de chacun sera fixé à tout jamais. Les impies seront précipités dans le feu de l'Enfer (Géhenne) où les attendent des tourments sans relâche. Le

---

15. Cf. Cor. 14:48; 18:47; 21:104; 22:1-2, 55; 25:25; 49:10-11; 50:44; 52:1-18; 69:14-16; 70:8-14; 73:14; 84:1-19.

portrait que le Coran trace de l'Enfer est de nature à inspirer la plus grande terreur.

Les images d'horreur de l'Enfer ont pour contrepoids les délices du Paradis, la Demeure de Paix (*Dar-al-Salam*). Le mot qui revient le plus souvent dans le Coran pour décrire le bonheur des élus est le mot «jardin» (*djanna*[16]) (Cor. 47:15):

> Voici à quoi ressemble le Jardin promis
> à ceux qui craignent Allah:
> Il y aura là des fleuves dont l'eau est incorruptible,
> des fleuves de lait au goût inaltérable,
> des fleuves de vin, délices pour ceux qui en boivent,
> des fleuves de miel purifié.
>
> Ils y trouveront aussi toutes sortes de fruits,
> et le pardon de leur Seigneur.

Le vin, interdit aux musulmans en cette vie, est donc réservé à la vie future. Il deviendra, chez certains mystiques musulmans, le symbole de la connaissance mystique de Dieu.

Au milieu de cette abondance de boissons et de fruits excellents, «accoudés sur des coussins verts et sur de beaux tapis» (Cor. 55:76), «vêtus de satin et de brocart» (Cor. 44:53), «parés de bracelets d'or» (Cor. 18:31), les élus mèneront une vie délivrée de tout souci (Cor. 76:13-16, 19-20):

> Là, accoudés sur des divans,
> ils n'auront à subir
> ni soleil ardent, ni froid glacial.
>
> Ses ombrages seront à proximité
> et ses fruits inclinés très bas, pour être cueillis.
>
> On fera circuler parmi eux
> des vaisseaux d'argent et des coupes de cristal,
> de cristal d'argent,
> et remplies à capacité.

---

16. En grec, «jardin» se dit *paradeisos,* d'où, en français, le terme «paradis».

Des jeunes gens immortels seront autour d'eux
  pour les servir.
Quand tu les verras, tu les prendras
  pour des perles détachées.
Quand tu regarderas là-bas,
tu verras un délice et un faste royal.

Pour parfaire cette félicité, Allah donnera à ses élus des épouses au charme incomparable (Cor. 56:22-26, 35-38):

Il y aura là des Houris aux grands yeux,
semblables à des perles cachées,
en récompense de leurs œuvres.

Ils n'entendront là
ni parole futile, ni incitation au péché,
mais une seule parole:
«Paix!... Paix!...»

C'est nous, en vérité, qui avons créé [les Houris]
  d'une façon parfaite.
Nous les avons faites vierges,
aimantes et d'égale jeunesse,
pour les compagnons de la droite [les Élus].

Ici, comme dans le cas de l'Enfer, il faut se rappeler que le Coran ne vise pas à donner des définitions scientifiques, théologiques ou philosophiques. Le Coran est avant tout un livre prônant l'action. Il incite les individus à l'action en touchant les cordes qui sont susceptibles de les motiver à agir. S'adressant aux hommes d'Arabie, au VIIe siècle, le Coran ne leur présente pas le paradis des philosophes, mais celui des bédouins. Il y a là plus qu'une question de style: on est devant un problème de communication qui n'est pas propre au langage religieux. Si le paradis musulman semble bien «matériel» à certains, c'est peut-être qu'ils ne distinguent pas le CODE du MESSAGE. Le code (véhicule), ici, c'est celui que le bédouin pouvait le plus facilement saisir: les réalités sensibles dont il rêvait. Quant au message (ce qui est véhiculé), c'est la réalité d'une vie future pleine de bonheur, réalité qui ne pouvait être entrevue qu'à travers un code emprunté à la vie de l'époque[17].

Le code de vie

Pour atteindre le Paradis, la foi seule ne suffit pas; le croyant doit en outre modeler son agir d'après la Volonté d'Allah. Cette Volonté s'exprime dans le Coran sous forme d'obligations religieuses et de prescriptions régissant la vie familiale et sociale. L'observance de ces lois est le chemin par lequel le croyant «retourne» à Allah.

LES CINQ «PILIERS DE L'ISLAM». C'est ainsi que les musulmans désignent les cinq obligations auxquelles se ramène fondamentalement la pratique religieuse et cultuelle: la profession de foi, la prière, le jeûne, l'aumône et le pèlerinage.

Le musulman doit professer sa foi en disant: «Il n'y a de Dieu qu'Allah, et Mohammed est le Prophète d'Allah.» Cette formule, appelée *shahada*, ne se trouve pas telle quelle dans le Coran; mais la première moitié de la phrase («Il n'y a de Dieu qu'Allah») revient souvent dans le Coran, tandis que la deuxième («Mohammed est le Prophète d'Allah») y est présente sous d'autres formulations.

La prière cultuelle (*salat*) est le deuxième pilier de l'Islam. En plus d'inciter à la prière d'une façon générale (Cor. 110:3; 7:55), le Coran dit au croyant de faire la prière à des «moments déterminés» (Cor. 4:103): le matin et le soir (Cor. 7:205), ainsi qu'au milieu du jour (Cor. 2:238). Le vendredi en début d'après-midi a lieu une prière plus solennelle à laquelle les croyants sont tenus d'assister. Le musulman se

17. Cet exercice de décodage, les chrétiens le font spontanément pour leurs propres Écritures, lorsqu'ils rencontrent des phrases comme: «Vous mangerez et boirez à ma table en mon royaume.» (Luc, 22:30)

tourne vers La Mecque pour prier (Cor. 2:144), après s'être purifié par les ablutions rituelles (Cor. 5:6).

Quant au jeûne rituel (*sawm*), il s'accomplit pendant tout le mois de Ramadan selon les modalités indiquées dans le Coran (2:183-185, 187). On doit s'abstenir de manger et de boire depuis le lever du soleil jusqu'à son coucher. Dans certains cas, le croyant est dispensé du jeûne durant le mois prescrit, mais il devra s'en acquitter plus tard.

Le Coran place l'aumône[18] sur le même pied que la prière. Deux termes désignent l'aumône; le premier, *zakat*, concerne plutôt l'aumône légale, et le second, *sadaqa*, l'aumône spontanée. En faisant une nette distinction entre les deux, la Tradition musulmane renforcera le caractère obligatoire de la *zakat* en l'assimilant à une «dîme».

Le musulman qui en a la possibilité est tenu de faire, au moins une fois dans sa vie, le pèlerinage à La Mecque. Les rites que le Coran prescrit[19] à cet effet sont à peu près ceux qu'accomplissaient les Arabes avant l'Islam. Le sens des rites n'est toutefois pas le même, puisqu'en détruisant les idoles de la *Ka'ba,* le Prophète a fait de ce sanctuaire le point de ralliement par excellence des adorateurs du Dieu unique. Le territoire sacré de La Mecque sera désormais interdit aux non musulmans (Cor. 9:28).

PRESCRIPTIONS LÉGALES ET MORALES. À la collectivité musulmane incombe le devoir de lutter pour la défense ou pour l'établissement de l'Islam. Pour désigner cette activité, le Coran emploie le terme *djihad*, dont la racine arabe signifie «effort tendu vers un but». L'effort ou la lutte que le Coran demandait aux croyants de Médine, c'était, de façon immédiate, la lutte armée contre les polythéistes[20]. L'Islam s'étant

---

18. De nombreux passages du Coran en traitent, entre autres: Cor. 2:254, 262-265.

19. Cf., par exemple, Cor. 2:196-198.

20. Cf., par exemple, Cor. 2:190-193; 9:36.

rapidement implanté et répandu, la Tradition musulmane aura tendance à comprendre le *djihad* comme un combat moral contre les vices et les passions. Un courant moderne verra dans l'activité missionnaire un accomplissement du devoir de *djihad*.

En tout état de cause, il serait inexact de traduire *djihad* simplement par «guerre» ou «guerre sainte» car, en arabe, c'est le terme *harb* qui correspond à «guerre». Le *djihad* n'est pas non plus une «guerre d'extermination», au sens du *Khorban* biblique, puisqu'il ne vise pas à offrir les infidèles en «holocauste» mais à établir parmi eux «les lois de Dieu». Le Coran associe d'ailleurs la plupart du temps *djihad* à l'expression «sur le chemin d'Allah»: il s'agit du «combat sur le chemin d'Allah».

Le Coran donne des prescriptions concernant l'alimentation des croyants (Cor. 2:173):

> Allah vous a seulement interdit
> la bête morte, le sang, la viande de porc
> et tout animal qui a été immolé
> à un dieu autre qu'Allah.
>
> Pour celui qui est dans la nécessité [d'en manger]
> sans pour cela être rebelle, ni transgresseur,
> cela n'est pas un péché.

En ce qui concerne le vin et les jeux de hasard, le Coran commence par déclarer qu'ils sont beaucoup plus nocifs que profitables (Cor. 2:219); puis il les interdit complètement comme étant des œuvres du diable (Cor. 5:90-91). Ces deux plaies sociales de l'Arabie préislamique en amenaient souvent une troisième: l'endettement, qui résultait d'emprunts à des taux d'intérêt excessifs. Aussi le Coran condamne-t-il cette pratique (Cor. 2:275-276, 278-280) qui multiplie la dette initiale et ne peut être assimilée au commerce honnête.

La collectivité musulmane a trouvé dans le Coran les bases qui ont servi à fixer le statut personnel des musulmans dans des lois relatives au mariage et aux successions. Pour ce qui est des successions, le Coran demande au croyant de faire un testament, précise la façon de répartir les biens entre les héritiers, et protège les biens des orphelins[21].

Par le biais des lois concernant le mariage, comme en d'autres versets, le Coran amène une nette amélioration dans la condition de la femme. Avant l'Islam, la naissance d'une fille était considérée par les Arabes comme une malchance. Les pauvres allaient jusqu'à se débarrasser de ces bouches jugées inutiles en enterrant les filles à la naissance. Le Coran condamne énergiquement cette pratique et la mentalité qui y donne lieu comme étant des affronts à la générosité d'Allah qui donne les enfants[22].

Dans l'optique du Coran, l'homme et la femme sont, l'un pour l'autre, «un vêtement» (Cor. 2:187). Même si les hommes ont une certaine «prééminence sur elles», les femmes ont des «droits équivalents à leurs obligations» (Cor. 2:238). Ayant les mêmes devoirs religieux que les hommes, les croyantes jouiront elles aussi des délices du Paradis.

Le Coran rejette la polygamie illimitée en réduisant à quatre le nombre d'épouses qu'un musulman peut légalement avoir, et cela à condition de pouvoir les traiter équitablement (Cor. 4:3), ce qui est pratiquement impossible (Cor. 4:129). Le Coran favorise donc assez clairement la monogamie. Les versets 227-232 de la sourate 2 réglementent la répudiation afin que cette démarche ne soit pas faite à la légère et que les avantages ne soient pas tous du côté de l'homme. Les mesures promulguées par le Coran paraissent certes insatisfaisantes aux féministes du XXe siècle, mais, dans l'Arabie du VIIe siècle, remplacer l'arbitraire masculin des coutumes flottantes

---

21. Cf. Cor. 2:180-182; 4:7-13; 5:106-108.
22. Cf., entre autres passages, Cor. 16:57-59; 6:137.

par des lois et des droits fixés dans le Livre, c'était améliorer considérablement la condition de la femme.

Le Coran opère à peu de la même manière en ce qui concerne la pratique de l'esclavage. À l'époque, cette institution faisait partie de la structure économique et son abolition pure et simple était impensable. À l'intérieur de ce contexte, le Coran recommande l'affranchissement d'un esclave comme un acte méritoire aux yeux d'Allah (Cor. 90:10-16) et à titre de réparation pour une faute commise[23]; il prescrit aussi au croyant de consentir à un contrat d'affranchissement lorsque l'esclave veut racheter sa liberté en versant une certaine somme d'argent (Cor. 24:33).

Le Coran trace les grandes lignes orientant l'agir des croyants et, comme nous l'avons vu plus haut, donne, en certains domaines, des points de repère précis en prescrivant ou en interdisant certaines actions. Mais le Coran ne présente pas pour autant un système éthique ou moral envisageant tous les actes humains. Ce rôle sera celui de la Loi musulmane, qui étendra l'emprise du Livre à chacun des actes humains en passant systématiquement en revue les situations de la vie individuelle ou collective.

Le rôle du Coran

Lorsque des hommes sont convaincus qu'ils possèdent un Livre contenant les paroles mêmes de Dieu, il est normal qu'ils scrutent le texte de ce Livre afin d'en saisir tout le sens. C'est ce qu'ont fait les musulmans en créant les outils nécessaires à cette entreprise.

C'est ainsi que prirent forme, pendant les premiers siècles de l'Islam, la grammaire et les lexiques de la langue arabe. Comme nous l'avons dit plus haut, le système d'écriture arabe

---

23. Cf. Cor. 4:92; 5:89; 58:3-4.

fut perfectionné afin de conserver avec précision le texte du Coran. Le caractère sublime et inimitable qu'on lui reconnaissait fit du texte du Coran la norme linguistique et littéraire qui présida au développement phénoménal de la littérature arabe. Englobant — et le dépassant — le côté littéraire et littéral du texte, une multitude de commentaires (*tafsir*) du Coran apparurent, tentant d'expliquer les passages plus obscurs du Livre.

Bien que l'attrait exercé par le texte coranique en lui-même ait été suffisant pour déclencher cette intense activité intellectuelle et scientifique, d'autres stimulants s'ajoutèrent encore à cette impulsion initiale: une compréhension plus approfondie du Livre et de ses implications était exigée afin de répondre aux besoins de la collectivité musulmane.

La réponse à ces besoins pratiques et intellectuels se cristallisa dans les grandes activités de la pensée religieuse de l'Islam: la formation de la Tradition (*Sunna* et *Hadith*), la Loi islamique (*Shari'a*), la philosophie et la «théologie» musulmanes (*Falsafah* et *Kalam*), ainsi que la mystique (*Tasawwouf*). Le Coran a joué un rôle central dans la maturation de cette pensée et de ces institutions, d'abord comme fondement, ensuite comme point de référence auquel l'instinct des croyants revenait constamment pour se ressaisir face au foisonnement des idées et des pratiques.

En un certain sens, on peut voir, dans les diverses facettes de la pensée religieuse islamique, différentes «lectures» du Livre, sortes de relais entre le texte du Livre et les nouvelles situations socioculturelles rencontrées par la Communauté musulmane en pleine expansion.

Le Coran a joué à peu près le même rôle dans le «réveil» ou la «renaissance» de l'Islam à la période moderne. Parmi les institutions qui ont porté les croyants et le Livre à travers des siècles d'histoire, la plupart étaient devenues inopérantes, atrophiées ou léthargiques (la Loi islamique, le califat, les ordres mystiques, etc.). Dans ce contexte nouveau, des réformateurs ont entrepris de remettre l'Islam sur pied en retournant à la source première de son dynamisme d'antan: le Coran.

Tout en demeurant un point d'ancrage et d'objectivation de l'Islam, le Coran a également joué un rôle important dans l'identification subjective des individus et de la collectivité musulmane. Répandue dans l'espace géographique et étalée sur des siècles d'histoire, la Communauté musulmane a progressivement pris l'aspect d'un gigantesque amalgame d'individus les plus divers, que ce soit par la race, la couleur, la culture, la langue, la classe sociale ou la tendance religieuse. Mais à travers l'espace et le temps, le Coran n'en est pas moins demeuré, dans son texte arabe, un facteur d'identité et de cohésion.

Tout au long des siècles, le Coran a été l'objet d'une vénération et d'une «fréquentation» considérables. Son texte écrit a été transcrit et retranscrit avec le plus grand soin, donnant naissance à des calligraphies et à des enluminures d'une grande valeur artistique. Le chant du Coran est devenu, lui aussi, un art consommé très prenant. Des passages du Coran sont récités, toujours en arabe, dans les prières quotidiennes et en diverses circonstances de la vie des croyants.

Les moyens modernes de communication (radio, imprimerie) ont pris le relais des moyens traditionnels pour assurer la diffusion du Coran. Mais, instinctivement, les croyants musulmans se sont constamment montrés réticents devant la traduction, l'impression et la récitation du Coran en d'autres langues que l'arabe. Ce fait souligne éloquemment le rôle du Livre comme facteur d'identification, d'unité et de cohésion. Le Coran, tel que révélé par Allah en langue arabe, transmis par le Prophète et porté dans l'histoire par la Communauté croyante, voilà ce à quoi s'identifie fondamentalement le musulman.

3

L'ISLAM DANS L'HISTOIRE

Grâce à l'activité du Prophète Mohammed, le Coran a donné naissance à une communauté organisée et l'Islam s'est implanté parmi les Arabes. À son tour, cette communauté a pris le relais de la mission du Prophète et est devenue porteuse du Livre au sein de l'histoire. À travers l'essor phénoménal de la collectivité musulmane, le Livre a marqué une large tranche de l'histoire humaine. En contrepartie, les forces de l'histoire ont amené les musulmans à développer les virtualités du Livre, à le lire sous les divers éclairages qu'offrait cette même histoire. De cette interaction de l'histoire et du Livre au sein de la communauté ont émergé progressivement les «relais» dont nous avons parlé précédemment. Mais avant de considérer ces derniers, nous allons esquisser les grands traits de l'histoire.

Développement interne et diffusion de l'Islam[1]

Les Arabes, peuple pauvre habitant un pays déshérité, avaient toujours débordé, par vagues périodiques, sur les riches pays agricoles entourant le nord de l'Arabie. Leur unification par Mohammed et le lien que constituait l'Islam leur donnèrent non seulement une force d'expansion beaucoup plus grande, mais empêchèrent leur assimilation par les civilisations voisines, ainsi que cela s'était produit lors d'attaques antérieures.

Il ne fait pas de doute que la faiblesse interne des deux grands empires d'Orient (Byzance et l'empire perse sassanide) a hâté l'avance spectaculaire des musulmans. Mais il faut aussi reconnaître le caractère résolu des forces fraîches canalisées par l'Islam. Et là, il faut bien distinguer entre l'expansion musulmane et la diffusion de l'Islam: conquérir un pays est une chose, mais lui imposer, par l'épée, la religion des vainqueurs en est une autre. En tant que complexe religieux et politique, l'Islam insistait sur la nécessité de traduire dans l'établissement d'un pouvoir politique la Volonté d'Allah; c'est ce qu'avait fait le Prophète à Médine. Une fois cet ordre établi, l'Islam laissait les gens libres dans leur foi; c'est ce qu'avait fait le Prophète pour les chrétiens du Nadjran, obéissant en cela à la parole du Coran: «Pas de contrainte en religion! La voie droite se distingue de l'erreur.» (Cor. 2:256)

En moins de vingt ans, (632-650), les Arabes avaient conquis l'Est méditerranéen: Syrie, Palestine, Égypte et Tripolitaine (Lybie actuelle) et, à l'est, tout l'empire perse.

Le califat des Omayyades (661-750)

Aux quatre premiers califes[2] (632-661), succéda la dynastie des Omayyades. Malgré un échec devant Byzance (Constan-

1. Cette section fait une large place à certaines observations de l'auteur musulman Fazlur RAHMAN. Voir p. 2 à 8 de son ouvrage: *Islam,* Weidenfeld and Nicholson, Londres, 1966.

2. Le calife (*Khalifa*) était le «lieutenant», le remplaçant du Prophète (et non d'Allah), son successeur comme chef des musulmans.

tinople) en 679, la seconde moitié du VIIe siècle voit la poursuite de l'expansion arabe, qui atteint Tanger (Maroc) à l'ouest, et le Turkestan et l'Indus à l'est. En 711, le général musulman Tariq aborde à l'extrémité sud de l'Espagne, lui donnant son nom: Gibraltar (*Djabal Tariq*: «montagne de Tariq»). Au cours des deux années qui suivent, les Arabes s'installent dans toute la péninsule espagnole, à l'exception des régions montagneuses des Pyrénées et des Asturies, qui seront le point de départ de la reconquête ultérieure du pays par les chrétiens. En 732, à Poitiers, Charles Martel arrête la poussée musulmane en France; ce qui n'empêchera pas le pouvoir musulman de régner pendant encore un certain temps dans quelques coins de la France méridionale, en Italie du sud, en Sicile et à Malte.

POLITIQUE D'OCCUPATION. L'Empire arabe, gouverné par les premiers califes et par ceux de la dynastie omayyade, était un immense État contrôlé par une couche peu nombreuse d'Arabes musulmans. De façon générale, ceux-ci laissaient les populations des régions conquises en charge de l'exploitation des terres. Ceci bien sûr afin d'assurer le bon rendement de ces dernières.

Les musulmans ne cherchaient pas davantage à imposer l'Islam à leurs sujets, qu'ils soient chrétiens, juifs ou mazdéens. Ceux-ci avaient le statut de *dhimmi* («protégés»): ils gardaient, moyennant paiement d'une taxe spéciale, le libre exercice de leur culte, leur statut personnel, ainsi qu'une large autonomie. Un grand nombre d'entre eux se convertirent pourtant à l'Islam. Les avantages généralement conférés par ces conversions — statut privilégié, accroissement du prestige et avantages fiscaux — ne suffisent pas seuls à les expliquer: l'attrait qu'exerçait l'Islam était parfois suffisant pour les susciter.

DÉVELOPPEMENT INTERNE. Confrontés à des situations souvent nouvelles en raison de l'expansion de l'Empire arabe, les musulmans entreprirent d'élaborer un système de loi et

L'EXPANSION MUSULMANE JUSQU'EN 750

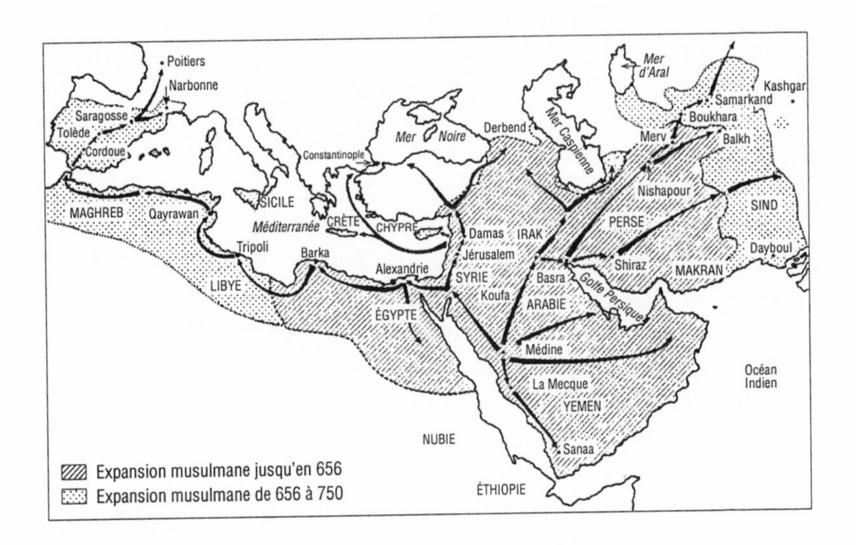

d'administration. Dans cette tâche, ils assimilèrent, à l'intérieur d'un cadre islamique, des institutions byzantines et perses, ainsi que d'autres éléments locaux. Ce système de loi donnera à la civilisation islamique son caractère distinctif et jouera en quelque sorte le rôle de «Constitution» et de définition de l'État musulman, tout en exprimant les tendances morales de l'Islam.

En moins d'un siècle de conquêtes, les musulmans réussirent à développer leur propre activité intellectuelle et à poser les fondements des sciences spécifiquement islamiques: les sciences de la Tradition, de la Loi et de l'histoire. Ce développement intellectuel particulièrement rapide résultant de l'interaction de la tradition hellénistique en Syrie avec la structure de base des idées fournies par le Coran dénote un dynamisme peu commun.

Le remplacement de Médine par Damas comme capitale de l'Empire (660) favorisa également cet essor de la pensée.

DIFFUSION DE L'ISLAM À L'EST (IXe-XIVe siècle)

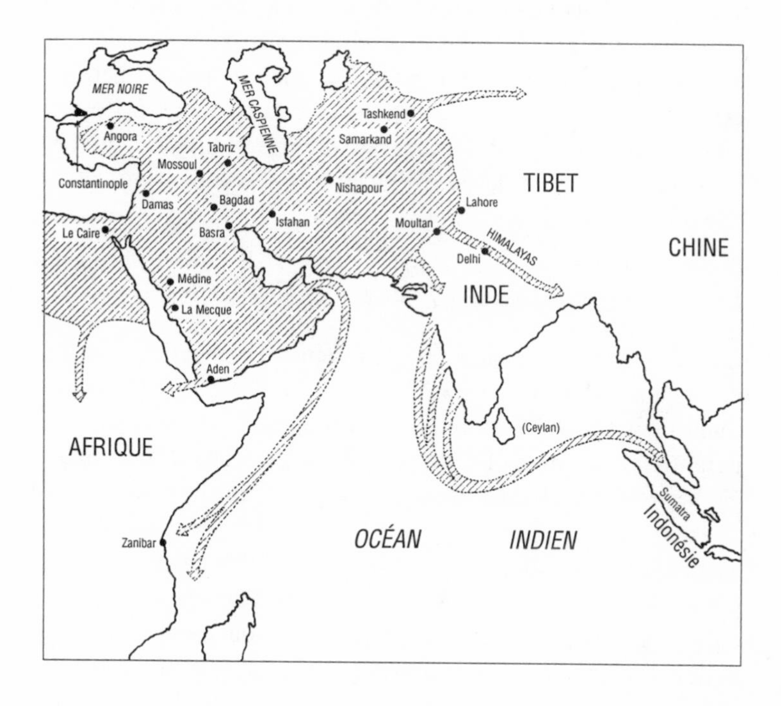

Les califes omayyades de Damas employaient à leur cour d'éminents chrétiens arabes hellénisants, comme Jean Damascène. Mais un changement dans les relations entre la religion et l'État survint à la même époque. On ne peut parler de clivage complet entre religion et État, les Omayyades conservant à l'État son cadre islamique fondamental. Mais ces derniers faisaient néanmoins figure de gouvernants séculiers qui, bien qu'exerçant une autorité politique, avaient perdu, en raison de leur conduite mondaine, une bonne part du prestige religieux reconnu aux quatre premiers califes de l'Islam. En conséquence, les disciplines proprement religieuses se développèrent surtout en marge de l'État, et Médine demeura le centre des développements religieux.

L'interaction de l'Islam et des courants culturels étrangers (en particulier le christianisme hellénisé) eut un autre effet important: des conflits d'opinions en matière de théologie et de conception morale surgirent; un certain nombre d'hérésies et de sectes firent leur apparition. Ces faits, joints à l'opposition latente des non Arabes au régime omayyade, amena finalement la chute de ce califat et l'établissement du califat abbasside à Bagdad, en 750.

Le califat des Abbassides (750-1258)

La révolution abbasside était soutenue en majorité par les nouveaux convertis, arabisés ou non. Elle visait à établir une dynastie issue de la famille du Prophète; une dynastie qui garantissait le fonctionnement d'un État vraiment musulman, égalitaire vis-à-vis des groupes ethniques qui le peuplaient.

TRAITS GÉNÉRAUX. Les Abbassides recrutèrent la plus grande partie de leurs fonctionnaires parmi les Persans des classes cultivées. Sous ce régime, les Persans retrouvèrent leur fierté nationale. Une longue polémique s'engagea entre Arabes et Persans, chaque groupe faisant valoir sa supériorité. Au cours des Xe et XIe siècles, la langue persane recouvra sa place comme moyen d'expression littéraire, ce qui flatta les aspirations nationales des Persans. Les ouvrages religieux continuaient toutefois d'être écrits en arabe.

Le califat abbasside donna lieu à deux développements plus ou moins compatibles. D'une part, les Abbassides tentèrent de répondre aux exigences des chefs religieux insatisfaits sous les Omayyades; ainsi, l'appareil de l'État mit en application les résultats produits par les disciplines religieuses mentionnées plus haut, ce qui combla en bonne partie le fossé qui s'était creusé entre la religion et l'État omayyade. D'autre part, et paradoxalement, les Abbassides accélérèrent l'éveil intellectuel de l'Islam en patronnant officiellement la traduction massive, en arabe, des œuvres grecques sur la philosophie, la médecine et les sciences. Le calife al-Ma'moun (813-833) fonda à cet effet une académie appelée «Maison de la Sagesse». L'intellectualisme pur issu de cette activité réagit sur la religion de l'Islam et produisit un mouvement religieux à saveur rationaliste, celui des Mou'tazila.

Du VIIIe au Xe siècles, on vit s'accentuer l'élan vigoureux donné à l'esprit arabe par le contact avec les cultures étrangères. Cette créativité engendra une civilisation brillante et prospère, sur les plans religieux, intellectuel et matériel, civilisation nettement en avance sur celle de l'Europe à la même époque.

MOUVEMENT MOU'TAZILA ET RÉACTION. La pensée religieuse fut évidemment affectée par ce développement. Aux VIIIe et IXe siècles, le mouvement Mou'tazila était en pleine croissance. Pour la plupart des croyants, s'exprimant par la bouche des *'Oulama*[3], les mou'tazilites constituaient une menace, celle du rationalisme grec.

Dans l'affrontement qui s'ensuivit, les chefs de «l'orthodoxie» musulmane[4] furent mis à rude épreuve quand le calife Ma'moun (813-833) éleva les positions mou'tazilites au statut de credo de l'État. Mais, par la suite, les *'Oulama* reprirent le dessus en misant sur leur force politique et en empruntant les

3. *'Oulama:* docteurs en science religieuse. Il serait inexact d'appeler les *'Oulama* «le clergé» ou «les prêtres» de l'Islam, puisqu'il n'y a pas de sacerdoce en Islam, pas de fonction cultuelle réservée à certains individus. Les *'Oulama* ont néanmoins joué un rôle comparable à celui du clergé dans le christianisme.

4. Appliqué à l'Islam, le terme «orthodoxie» n'a pas le même sens que dans le contexte chrétien, puisqu'il n'y a pas de hiérarchie dans l'Islam (évêques, etc.) ni d'institution (papauté, concile, synode) officiellement habilitée à délimiter «la vraie doctrine». Le consensus (*idjma'*) de la communauté ou des docteurs (*'Oulama*) a un peu joué ce rôle, mais plus par mode de pression sociale exercée sur les extrémistes que par mode de condamnation, d'anathème, d'excommunication ou d'Inquisition. Cela tient au fait que la communauté musulmane était généralement plus préoccupée d'«orthopraxie» (conduite droite, conforme à la Loi) que d'«orthodoxie» (conformité à la doctrine). Nous employons donc «orthodoxie» plutôt au sens de «majorité des croyants en accord», et de «doctrine reconnue majoritairement».

armes mêmes de la dialectique grecque. Peu à peu, presque tout le système d'éducation passa sous leur contrôle, et ils appliquèrent dans les écoles des programmes modelés sur leur propre idéal spirituel et intellectuel.

Traumatisée par l'expérience du mouvement Mou'tazila, la foi des musulmans restera marquée par la hantise du rationalisme. S'exprimant dans la rigidité et l'étroitesse relative de l'éducation dispensée par les *madrasa* (écoles musulmanes), cette hantise conduira à la stagnation intellectuelle de l'Islam.

Sous un autre angle, toutefois, l'activité des *'Oulama* dota la communauté musulmane d'une cohésion remarquable, reposant surtout sur la Loi islamique (*Shari'a*) épaulée par la théologie dogmatique (*Kalam*). En englobant les divers aspects de la vie intellectuelle, sociale et politique, la *Shari'a* assurera l'unité de la collectivité musulmane, même après la dévastation et le démembrement politique qui vont accompagner la prise de Bagdad par les Mongols (1258).

La montée du soufisme. Une nouvelle tension surgit bientôt à l'intérieur de l'Islam, qui aura une portée plus profonde et plus longue que la tension entre l'«orthodoxie» des *'Oulama* et la menace rationaliste perçue dans le mouvement Mou'tazila. Cette tension s'amorça avec la montée du soufisme (mystique musulmane).

Le soufisme fit son apparition aux VIIIe et IXe siècles dans les centres culturels d'Irak et de Perse. Centré, à ses débuts, sur un idéal de purification morale et de piété, le soufisme représentait une réaction intériorisante, une sorte de retrait face aux développements légalistes de la religion officielle et au caractère mondain des forces politiques. Il devait bientôt prendre une tournure plus proprement mystique en se donnant comme but la communion avec le divin.

Jusqu'au Xe siècle, le soufisme s'était confiné dans la vie urbaine; il constituait l'expression un peu marginale et individuelle d'une forme de spiritualité. L'Islam primitif n'avait pas développé ce genre de spiritualité, mais ce type de raffinement semblait tout à fait compatible avec le cadre de l'Islam. À partir du XIe siècle toutefois, des circonstances historiques modifièrent la physionomie du soufisme et en firent une religion des masses. Ce changement accentua la tension entre la mystique des soufis et le système en place des *'Oulama*.

Parmi ces facteurs historiques, il faut mentionner l'affaiblissement du centre politique de l'Islam à Bagdad. Ainsi, les Xe et XIe siècles virent une résurgence des tribus nomades d'Afrique du Nord, et surtout une infiltration des tribus turques venues d'Asie centrale. Frustres mais résolus, les Turcs finirent par contrôler le centre même du califat abbasside. Malgré le rôle déterminant des *'Oulama* dans la diffusion de l'Islam en Irak, en Perse et en Égypte quelques siècles plus tôt, ce n'est pas grâce à eux que les Turcs se convertirent, mais grâce aux soufis.

La manière dont les soufis présentaient l'Islam s'accordait beaucoup mieux aux dispositions mentales et spirituelles des Turcs. Elle apprivoisait en outre leur rudesse. Les Turcs pouvaient ensuite souscrire aux formalités extérieures que représentait à leurs yeux l'Islam «orthodoxe». Le soufisme exerçait sur eux une influence très profonde. Mode de vie réservé à ses débuts à un petit nombre d'initiés, le soufisme s'était transformé en un vaste réseau d'ordres («congrégations») mystiques. Les membres de ces ordres suivront désormais les pas des conquérants turcs, et plus tard mongols, afin de répandre l'Islam en Inde, en Asie centrale et en Anatolie, ainsi qu'en Afrique. Dans cette entreprise, le soufisme fera des compromis avec les attitudes et les pratiques religieuses qu'il trouvera en ces milieux. C'est ainsi que va s'affirmer la tension massive entre le système «orthodoxe» et la religion populaire qu'est devenu le soufisme.

Le soufisme injecta une dose de vigueur dans l'Islam. C'est grâce à lui qu'il agrandit son domaine bien au-delà de la surface qu'il occupait depuis le VIIIe siècle. Entre-temps, la réconciliation entre l'«orthodoxie» et le soufisme fut réalisée par l'œuvre et la personnalité prodigieuses d'al-Ghazzali

(«Algazel» pour les Latins) (1058-1111). L'orthodoxie s'en trouva elle-même revivifiée. Une sorte d'entente tacite présida à l'expansion de l'Islam et à sa permanence dans les multiples sultanats et émirats semi-indépendants du califat: la diffusion de l'Islam était prise en charge par les soufis, alors que les *'Oulama* s'occupaient du cadre légal et dogmatique à l'intérieur duquel fonctionnait l'État.

LE MORCELLEMENT POLITIQUE. Pendant ce temps, sur le plan politique, l'empire musulman se morcelle à mesure qu'il s'étend. Le califat des Abbassides est affaibli par une série de facteurs: la montée du nationalisme iranien (perse), qui aboutit à la création d'États régionaux détachés de l'autorité du calife et parfois le dominant; la séparation de l'Espagne par la fondation de l'émirat omayyade à Cordoue (756); la domination de plus en plus audacieuse des militaires turcs; les mouvements de protestation, qui canalisent dans des idéologies de secte les déceptions suscitées par l'Empire.

La dynastie des Fatimides se constitue en Tunisie (910) et s'établit en Égypte (973-1171). Pendant ce temps, les Turcs seldjouqides font reconnaître leur sultanat par le calife et conquièrent l'Anatolie byzantine (1071).

Les dynasties des réformateurs berbères, les Almoravides et les Almohades, dominent au Maghreb du XIe au XIIIe siècles et arrêtent un moment la reconquête chrétienne en Espagne, tandis que les Croisés (XIIe et XIIIe siècles) menacent la Palestine et la Syrie. Mais le fait dominant de cette période est l'invasion des Mongols. Celle-ci dévaste le monde musulman en Asie et détruit les dernières façades du califat abbasside en saccageant Bagdad (1258). L'empire mamelouk d'Égypte et de Syrie (1250-1517) résiste toutefois à cet assaut. Les Mongols d'Iran seront convertis à l'Islam, et l'aventure mongole se transformera en expansion de l'Islam en Russie, au Turkestan et dans l'Inde.

Les trois Empires

Le XVIe siècle voit émerger trois grands États musulmans: l'empire moghol dans l'Inde (1526), l'empire safavide en Iran (1501) et l'empire turc des Ottomans. Né en Anatolie au XIVe siècle, ce dernier s'empare de Constantinople (1453), conquiert la plupart des pays arabes, et reprend l'expansion vers l'ouest, où il menacera Vienne (1683). Grâce à leur système d'administration compétent et efficace, l'État moghol et l'État ottoman vont doter d'une nouvelle stabilité de vastes segments de la collectivité musulmane. Cette stabilité favorisera l'éclosion d'une nouvelle forme de culture islamique, de type persan. Tout en restant à l'intérieur du cadre de l'orthodoxie, le contenu de cette nouvelle culture met à contribution les idées des soufis et représente, dans sa poésie et dans son art, une sorte de percée libérale par rapport à la culture classique de l'Islam. Cette culture va envelopper les trois grands empires jusqu'à ce que se fasse sentir l'impact provoqué par le contact avec la modernité des pays occidentaux.

La croissance du pouvoir économique et militaire de l'Europe entraîne en effet, dès le XVIIIe siècle, le recul de l'empire ottoman, la suprématie anglaise en Inde et l'expédition-type de Bonaparte en Égypte (1798). (Nous esquisserons, au chapitre 7, la situation de l'Islam à la période moderne.)

La civilisation islamique

Comme le laisse entrevoir l'exposé qui précède, la civilisation musulmane du Moyen Âge a été une synthèse des apports culturels des divers peuples islamisés, le peuple arabe apportant surtout sa langue, sa religion et ses formes littéraires. En héritant de la culture de l'Orient hellénisé, la créativité et la puissance d'assimilation des musulmans mirent à profit ce substrat en l'intégrant dans une symbiose originale et plus vaste.

Traits généraux

L'influence hellénistique sur la vie intellectuelle fut considérable aux IXe et Xe siècles grâce aux traductions arabes d'œuvres grecques. Dans le domaine scientifique, la Perse et l'Inde ajoutèrent leur apport à celui de la Grèce antique: le centre de Goundi-Shapour, carrefour des sciences grecques et orientales avant même la venue de l'Islam, joua un rôle prépondérant dans cet apport.

La formation de la civilisation musulmane fut en outre favorisée par divers facteurs. L'atmosphère de tolérance et de liberté, caractéristique du Moyen Âge musulman, permit aux juifs et aux chrétiens de contribuer d'une façon appréciable à l'entreprise commune. La prospérité matérielle et l'essor remarquable du commerce jouèrent eux aussi leur rôle: l'affluence des richesses permettait aux gouvernants de patronner les chercheurs et les artistes. De plus, des améliorations techniques épaulèrent la production intellectuelle et artistique; ce fut le cas pour l'introduction du papier venu de Chine par l'Asie centrale au VIIIe siècle. Les effets de cette innovation sur la vie culturelle peuvent être comparés, sur une échelle réduite, à l'invention de l'imprimerie en Occident.

Stimulé par le commerce, le développement du système de communication favorisa aussi la circulation des idées et des échanges artistiques. Pour se faire une idée de l'efficacité et de l'état des communications à cette époque, il suffit de mentionner deux faits; le premier concerne le domaine bancaire: au IXe siècle, on pouvait encaisser au Maroc un chèque émis à Bagdad; le second appartient à la mode: on retrouva très vite les parures et les vêtements fastueux de la cour du calife de Bagdad à la cour de l'émir de Cordoue (Espagne). La mode avait été véhiculée à travers les États de l'Afrique du Nord par des musiciens venus de Bagdad... C'est dans ce contexte général que furent créées en Islam des œuvres scientifiques, littéraires et artistiques d'une valeur remarquable.

Les sciences

Dans le domaine des sciences, une série de disciplines se développa, dans lesquelles Arabes, Iraniens et d'autres musulmans firent plus que transmettre à l'Europe l'héritage des Grecs et des Indiens: ils l'enrichirent de nombreuses observations et souvent même de découvertes importantes. Ainsi, l'ARITHMÉTIQUE fut perfectionnée par l'introduction des chiffres «hindous» (que nous appelons «arabes») et du zéro. Les recherches en astronomie amenèrent les Arabes à fonder la trigonométrie plane et sphérique, avec les notions de sinus et de tangente. Les musulmans excellèrent surtout dans l'ALGÈBRE (de l'arabe *al-djabr*), qu'ils développèrent considérablement pour en faire une science exacte.

La CHIMIE fut améliorée par les Arabes, qui découvrirent plusieurs corps importants — dont le nom passa d'ailleurs dans la langue française («alcool», par exemple) —, et utilisèrent la distillation. Des recherches originales furent faites en PHYSIQUE. En MÉDECINE, les observations cliniques et le travail de systématisation des savants arabes firent prendre aux pays musulmans une avance considérable sur le Moyen Âge latin: c'est à eux que l'Europe emprunta, à la suite des Croisades, l'institution des hôpitaux, qui était d'abord apparue en Iran.

La littérature

Sur le plan de la littérature, la langue la plus utilisée fut l'arabe, suivi du persan. Nous avons souligné plus haut de quelle manière l'étude du Coran a donné naissance à une série de disciplines dans lesquelles l'ÉRUDITION tient une place considérable, comme c'est le cas pour la PHILOLOGIE (étude de la langue). L'HISTOIRE, elle aussi, apparaît à l'origine comme une branche auxiliaire d'une science religieuse, la «Science des Traditions». Débutant avec les biographies du Prophète, l'histoire devint petit à petit une discipline profane retraçant l'évolution des «dynasties». Grâce au travail méticuleux de scribes iraniens, on vit apparaître des «Annales» dans lesquelles étaient consignés les événements qui s'étaient produits en telle ou telle année. Mais il s'agit là de chroniques purement narratives, qui présentent les faits selon une suite discontinue: on se trouve ici devant une illustration particulière d'un trait plus général qu'on appelle souvent l'«atomisme».

Par ATOMISME, on désigne ici une tendance à percevoir la vie et l'univers comme une série d'unités statiques, concrètes et disjointes. Plus ou moins liées en une sorte d'association mécanique ou fortuite, ces entités ne sont pas perçues comme ayant par elles-mêmes une interrelation de cause à effet ou encore de type organique. Même si elle n'est pas universelle, cette tendance se manifeste dans plusieurs secteurs de la vie musulmane et déconcerte souvent ce qu'on appelle la «logique occidentale». Si on met à part les hommes de science et les philosophes, on peut dire que cette tendance «atomisante» affecte la conception même du savoir et sa traduction dans le système d'éducation: le savoir semble consister moins dans l'intégration que dans l'accumulation progressive de données compartimentées fournies par des disciplines variées dont chacune se suffit à elle-même.

Cette parenthèse souligne, par contraste, l'originalité du penseur Ibn Khaldoun (1332-1406). Musulman fervent et juriste orthodoxe, Ibn Khaldoun est surtout connu pour son *Moqaddima* («Préface» à l'histoire des berbères), où il essaie de saisir le fonctionnement relationnel des forces historiques qui président à l'évolution des sociétés. Sa démarche ressemble à celle des historiens et des sociologues modernes[5].

La contribution musulmane à la GÉOGRAPHIE est importante et prend la forme de cartes, d'études topographiques, ethnologiques, et même de descriptions de religions rencontrées chez les peuples de l'époque. Les Européens tireront profit de ces observations.

---

5. Cf. Mohammed-Aziz LAHBABI, *Ibn Khaldun,* Paris, Seghers, 1968. Le lecteur trouvera, p. 111-185, un choix de textes d'Ibn Khaldoun.

Dans le domaine des LETTRES, la prose se développera dans les premiers siècles de l'Islam, à la suite du Coran, qui est le premier document en prose en arabe. Mais la poésie restera la forme prépondérante d'expression, produisant des chefs-d'œuvre auxquels les meilleures traductions n'arriveront pas à rendre justice. Cette poésie tourne généralement autour de deux axes: nostalgie d'un passé éphémère et désir d'union avec Allah, seul Permanent. La barrière n'est pas toujours étanche entre poésie profane et poésie mystique.

La littérature musulmane arabe reflète, en général, la tendance «atomisante» dont nous parlions plus haut. De cette littérature, par exemple, sont absents le drame et l'épopée (développés par les Iraniens). Sa force d'évocation repose sur une série d'observations et de traits séparés, méticuleusement rapportés mais fragmentaires, liés par la subjectivité de l'auteur et du lecteur plutôt que par un plan d'ensemble. Dans le poème arabe, les vers sont comme les perles d'un collier, dont chacune est parfaite en elle-même, détachable et souvent interchangeable. De façon similaire, la musique arabe est rythmique et se développe par la fantaisie et la variation, non par la construction harmonique.

Les arts

L'art musulman a pris forme dans la CONSTRUCTION de mosquées, de palais, de «couvents» (*ribat*), d'écoles, de mausolées (entre autres le célèbre Taj Mahal en Inde). La mosquée est l'exemple le plus significatif de la rencontre entre les exigences de la vie religieuse et sociale d'une part, et les méthodes artistiques locales d'autre part. Tout en restant fidèle au plan primitif de la maison du Prophète à Médine (cour et salle de prière couverte), la mosquée prendra des aspects variés selon les matériaux et les traditions architecturales que présentent les divers pays dans lesquels l'Islam se répandra.

Mais ce n'est pas dans l'agencement des ensembles architecturaux qu'apparaît de façon la plus frappante l'unité fondamentale de l'art musulman. L'originalité de cet art se manifeste surtout dans l'ORNEMENTATION, qui s'étend aux surfaces des constructions (revêtement de stuc ou mosaïque, peintures murales), aux objets d'usage courant (mobilier, vases, fontaines, tapis, manuscrits) et, évidemment, au Livre par excellence, le Coran (enluminure, calligraphie). Si l'originalité et la valeur de cette ornementation sont admirablement servies par le raffinement et la variété des techniques, elles lui viennent surtout de l'esprit qui l'anime. On en voit une expression typique dans le développement de l'arabesque: stylisation radicale des formes végétales et des lettres, utilisation de figures géométriques se répétant indéfiniment, s'entrelaçant et s'appelant l'une l'autre, sans jamais donner à l'œil et à l'imagination l'impression qu'on a réussi à en «faire le tour». Il s'en dégage une sorte de suggestion de l'infini, une perception du monde comme succession de formes fugitives tirant à chaque instant leur existence de la Volonté d'Allah sans réussir à la circonscrire.

À des degrés divers, on peut observer, dans les divers aspects de la civilisation islamique, l'empreinte du Livre sur l'histoire d'une collectivité croyante et, parallèlement, l'instinct de cette collectivité qui, au contact de l'histoire, a été amenée à en expliciter les virtualités dans un sens plutôt que dans un autre. Nous examinerons d'un peu plus près, dans les chapitres suivants, les principaux points de cristallisation de ce processus dialectique.

4

TRADITION ET LOI ISLAMIQUES

Le musulman, c'est celui qui, en réponse à l'appel du Coran, «se soumet» à Allah et entreprend de conformer sa vie à la Volonté divine. Mais comment discerner concrètement cette Volonté? C'est le Coran, Parole révélée d'Allah, qui montre à l'homme la voie tracée par Allah, a répondu unanimement la communauté mulsumane à travers les âges. Toutefois, cette réponse porte elle-même une question, sous-jacente à l'histoire de la pensée musulmane: sur quelle base — par quel moyen, sous quel éclairage — le Coran doit-il être compris et mis en pratique?

Les bases de la connaissance et de l'autorité

À cette question, des réponses théoriques et pratiques ont été données, au cours de l'histoire, par diverses tendances de la pensée et de la vie musulmanes. L'enjeu de la question était à la fois intellectuel (les bases de la connaissance) et pratique (les bases de l'autorité dans la Communauté). Nous pourrions, en simplifiant beaucoup, schématiser de la façon suivante les réponses données par les grands courants de la pensée musulmane:

<table>
<tr><th></th><th colspan="2">Le Coran</th></tr>
<tr><th>Pour</th><th>est compris</th><th>se traduit dans</th></tr>
<tr><td>les «gens» de la Tradition</td><td>— la coutume du Prophète (Sunna)
— contenue dans des récits (Hadith)</td><td>la Loi (Shari'a)</td></tr>
<tr><td>les mouta'zilites (tendance rationaliste)</td><td>la raison humaine</td><td rowspan="3">la «théologie» (Kalam): exposé systématique de la révélation sous forme de doctrine</td></tr>
<tr><td>les «théologiens»</td><td>la Tradition et la pensée grecque</td></tr>
<tr><td>les «philosophes»</td><td>la pensée grecque et la pensée orientale</td></tr>
<tr><td>les soufis (mystiques)</td><td>l'expérience religieuse personnelle</td><td>la voie mystique (soufisme)</td></tr>
<tr><td>Les shi'ites</td><td>la «connaissance» de l'Imam</td><td>le shi'isme</td></tr>
</table>

Ce tableau ne constitue bien sûr qu'une tentative de reconstitution. Dans le développement concret de la pensée musulmane, les courants n'étaient pas aussi compartimentés que le tableau pourrait le laisser croire: la Tradition (*Sunna* et *Hadith*), par exemple, qui trouvera sa principale expression dans la Loi, sera également utilisée par les théologiens et les soufis. Par ailleurs, certains apports de la théologie et du soufisme seront intégrés dans la Loi. Des éléments importants du shi'isme se retrouveront dans le soufisme et dans la philosophie. À partir du Xe siècle, ces grands courants de la vie religieuse auront tendance à se partager l'Islam entre eux. Mais cela n'empêchera pas leur interaction par mode d'ajustements et de compromis. Au niveau des personnes, plusieurs courants se retrouveront chez le même individu, comme c'est le cas pour al-Ghazzali (1058-1111), qui était à la fois un théologien, un mystique, un homme de loi et un philosophe. Ja'far al-Sadiq (mort en 765) est vénéré par les shi'ites comme leur sixième imam, par les soufis comme maître spirituel et par les sunnites comme commentateur du Coran.

Ces courants n'ont pas tous eu le même poids d'autorité dans la Communauté musulmane. Le Coran était admis comme l'autorité suprême en Islam, mais la question était de savoir quel genre d'autorité cautionnerait la compréhension du Coran et sa traduction au niveau de l'agir collectif.

Généralement, on reconnaît qu'il y a trois types d'autorité *possibles* dans une société, dont le choix dépend de la manière dont on veut légitimer cette autorité: le type charismatique, le type traditionnel et le type rationnel. L'autorité de type CHARISMATIQUE repose essentiellement sur les qualités et les dons personnels d'un individu; c'était là le type d'autorité exercée par le Prophète dans la première Communauté musulmane, sur la base du Coran qu'il avait reçu. Mais ses successeurs n'étaient pas porteurs d'une Révélation; leur autorité s'établit donc sur une autre base, la base de la Tradition, de la transmission.

L'autorité de type TRADITIONNEL se légitimise comme étant un maillon dans une chaîne. Ainsi, Abou Bakr, qui prit la tête de la Communauté à la mort du Prophète, reçut le titre de «successeur» du Prophète (calife), et le deuxième calife fut désigné comme «successeur du successeur du Prophète». Dans le domaine proprement religieux, ce fut le type traditionnel d'autorité qui s'imposa: dans la perception des musulmans, la *Sunna* et le *Hadith* (la «coutume» du Prophète contenue dans des récits) devinrent le lien entre le vécu historique de la Communauté et le Coran. Comme on le verra à propos du *Hadith,* ce type d'autorité devait être poussé très loin.

L'autorité de type RATIONNEL se légitimise comme représentant ce que la majorité des gens estiment être correct. Cette autorité a donc un aspect démocratique. Pendant un certain temps, l'opinion individuelle (*ra'y*), la recherche personnelle (*idjtihad*), et le consensus (*idjma'*), jouèrent un rôle dans la compréhension et le développement de l'Islam. Mais comme on le verra à propos de la Loi, ce rôle ne fut reconnu que par le biais de la Tradition: pour faire autorité, il ne suffisait pas qu'une pratique soit estimée bonne par la Communauté, il fallait qu'elle puisse être reliée à la conduite du Prophète (*Sunna*) par le mécanisme d'un récit (*Hadith*).

La tradition islamique

Dans un sens général, la Tradition islamique est un ensemble de croyances, d'institutions et de pratiques transmises comme un héritage auquel s'ajoute continuellement l'apport des générations. Dans un sens restreint — celui dont il sera question ici —, on considère la Tradition islamique comme la source de connaissance, d'autorité et de loi. Cette source comprend la *Sunna,* le *Hadith* et, à titre instrumental, l'*idjma'* (consensus).

La Sunna

Avant l'Islam, la tradition jouait un rôle très important dans la vie des Arabes. Chaque tribu était fière de la «coutume» (*Sunna*: comportement habituel) de ses ancêtres, et fière aussi de suivre cette coutume. Cette *Sunna* des ancêtres avait valeur de norme, d'autorité.

À La Mecque, Mohammed fut accusé de condamner la tradition. Le Coran parle de l'éternelle *Sunna* d'Allah; il reproche aux Mecquois de préférer la *Sunna* de leurs ancêtres à celle d'Allah. En réalité, la venue de Mohammed et du Coran n'eut pas pour effet de changer le type d'autorité de la tradition, mais bien d'investir un nouveau contenu dans la tradition. La coutume des ancêtres allait être remplacée par la coutume du Prophète. Mais l'autorité investie dans la *Sunna* restait en place, assurant la continuité.

Dans la théorie musulmane, la séquence de la *Sunna* s'établit de façon suivante: la *Sunna* d'Allah (dans le Coran) est transmise dans la *Sunna* du Prophète; à son tour, celle-ci se traduit dans la Sunna de la Communauté à Médine, puis dans le système d'usages sociaux et légaux que le consensus *(idjma')* de la Communauté reliera au Prophète. Par sa continuité, cette séquence théorique satisfait à la conception de l'autorité de type traditionnel.

LA *SUNNA* DE LA COMMUNAUTÉ. Sur le plan historique, toutefois, il semble bien que la séquence ait été plus complexe que la théorie le laisse croire. Au premier stade du développement historique, la *Sunna* désignait d'abord, semble-t-il, la «coutume» de la Communauté, c'est-à-dire à la fois les usages retenus du passé et ceux établis par le Prophète; mais on distinguait ces usages, transmis oralement, de ceux renfermés dans le *Kitab,* le Livre écrit (Coran).

Cette prépondérance de la *Sunna* de la Communauté s'explique par des facteurs historiques. Le Prophète n'a vécu que dix ans à Médine, et il n'y a pas tout «réglé». Après sa mort apparut une certaine confusion: pendant quelque temps, bon nombre de musulmans ne surent pas toujours exactement ce qu'ils devaient faire; on rapporte, par exemple, que les armées cantonnées à Koufa ne connaissaient pas la manière exacte de faire les prières rituelles. Du fait qu'elles s'étaient converties un peu rapidement à l'Islam, les tribus arabes ne connaissaient pas très bien la coutume du Prophète. Il était donc compréhensible qu'on se tournât vers la coutume de la Communauté primitive, celle de Médine, afin de savoir quelle devait être la conduite normale d'un musulman. L'importance donnée à Médine et aux compagnons du Prophète était donc, à ce stade, beaucoup plus d'ordre pratique que d'ordre théorique.

LA *SUNNA* DU PROPHÈTE. Avec la vague de conquêtes et l'éparpillement des groupes musulmans, la coutume de la Communauté commença à prendre des directions divergentes. La *Sunna* de Médine et des Compagnons n'était plus unanimement reconnue. Pour éviter que la Tradition ne s'émiette en *sunna* locales et rivales, il fallait s'entendre et préciser la nature de la *Sunna*. Les experts de la Tradition affirmèrent que ce terme ne pouvait proprement s'appliquer qu'à la coutume établie par le Prophète lui-même sous forme de prescriptions ou par son exemple.

Cette conception finit par prévaloir, même si on retrouve un reliquat de la première signification de *Sunna* dans le mot «sunnite» ou *ahl al-Sunna* (gens de la *Sunna*), qui désigne l'ensemble des musulmans «orthodoxes» qui adhéraient à la coutume de la Communauté. Leurs adversaires, les shi'ites (*Shi'a*) ou «partisans d'Ali», reconnaissaient aussi la *Sunna* du Prophète, mais considéraient comme illégale la coutume subséquente de la Communauté, c'est-à-dire celle des sunnites.

En arabe, l'opposé de *Sunna* est *bid'a,* qu'on doit traduire par «innovation», plutôt que par «hérésie». Le terme «hérésie» dénote surtout une déviation doctrinale, alors que *bid'a* signifie plutôt une déviation pratique par rapport à la coutume établie dans la Communauté. Dans l'idée des sunnites, cette *Sunna* de la Communauté en vint à ne faire qu'un avec la *Sunna* du Prophète.

Déjà, pendant le premier siècle de l'islam, la vénération pour le Prophète et l'impression profonde qu'il avait laissée sur ses adeptes avaient naturellement poussé les musulmans à transmettre et à collectionner les détails de sa vie et de ses actions. Cette activité prit une importance encore plus grande à partir du moment où la *Sunna* du Prophète (ses faits et ses paroles) fut reconnue comme base d'autorité pour la vie de la Communauté. Le mode de transmission de la *Sunna,* c'est-à-dire le *Hadith* (récit), prit, lui aussi, une importance croissante.

Le Hadith

La *Sunna* du Prophète était généralement transmise sous la forme de petits récits (*Hadith*) racontés par un des compagnons de Mohammed. Voici, par exemple, un de ces récits, tel qu'on le trouve aujourd'hui dans un recueil:

> [A] Il nous a été rapporté par 'Abadallah ibn Yousouf, qui disait que cela lui avait été rapporté par al-Layth, qui le tenait de Yazid, qui le tenait lui-même de Abou al-Khayr qui le tenait de 'Oqba ibn Amir, qui disait:
>
> [B] «Quelqu'un donna un vêtement de soie au Prophète, qui le porta pendant les prières. Mais, au moment de l'enlever, il l'arracha violemment, dans un geste de dégoût, en disant: "Ceci ne convient pas à des gens qui craignent Dieu!"»

Comme on le voit, le *Hadith* comporte deux parties: la partie [A] établit la chaîne des transmetteurs (*isnad*), tandis que la partie [B] représente la matière, la substance (*matn*) du récit, c'est-à-dire ce que le prophète a dit ou fait. Ainsi, le *Hadith* est une sorte de contenant, de véhicule dans la transmission de la «façon de faire» (*Sunna*) du Prophète. Quand on réunit ces deux termes (*Hadith* et *Sunna*) sous le nom de Tradition, on signifie en même temps ce qui est transmis, «traditionné» (la *Sunna*), et le véhicule de la transmission (le *Hadith*).

La montée des *Hadith*. Au début de l'Islam, on n'accordait pas une grande importance à la façon de transmettre les récits concernant Mohammed: c'était le contenu, beaucoup plus que l'exactitude des mots, qui importait. La transmission se faisait dans la plupart des cas oralement, même si des individus mettaient par écrit des *Hadith* pour leur usage personnel. À ce stade, la Communauté ne semblait pas montrer d'intérêt spécial pour ces récits.

Mais à mesure que la coutume (*Sunna*) s'affirmait comme base d'autorité dans la Communauté, on s'intéressa de plus en plus au *Hadith* comme support ou véhicule de la *Sunna.* Moins de trois générations après la mort du Prophète, un très grand nombre de *Hadith* furent mis en circulation. Ces récits faisaient état de déclarations de Mohammed concernant des points de loi et de doctrine. Les partis politiques et les courants religieux se montraient étrangement prompts à présenter des paroles du Prophète qui confirmaient leurs positions respectives, et ces paroles devenaient de plus en plus précises et catégoriques.

Il devint bientôt évident que la Tradition subissait une invasion assez massive de récits forgés. On en arriva même à mettre dans la bouche du Prophète des maximes de droit romain, des bribes de la tradition judéo-chrétienne et même des phrases de philosophes grecs. Même des gens très pieux donnaient parfois crédit à des récits douteux parce que ces derniers mettaient utilement en évidence des points de doctrine ou de morale.

Généralement, cette fabrication de *Hadith* n'était pas considérée comme une pratique malhonnête; ainsi, il circulait un *Hadith* qui faisait dire au Prophète: «Si quelqu'un dit quelque chose de bon, nous l'approuvons à l'avance.» Le *Hadith* était devenu une sorte de code[1] porteur d'un message; souvent, attribuer telle déclaration au Prophète était en fait coder un message qui aurait pu s'expliciter ainsi; «Étant donné la situation dans laquelle nous nous trouvons, telle façon de faire s'impose, elle est un bien: comme le Prophète veut le bien de sa Communauté, il a sûrement voulu ceci; il doit donc y avoir dans la Tradition quelque chose à ce sujet...» Le *Hadith* devint ainsi une forme d'argumentation raccourcie, «codée», une façon de souscrire à cette conviction fondamentale voulant que la *Sunna* du Prophète soit la base de l'autorité dans la Communauté. À ce stade, l'intention profonde du *Hadith* n'était pas de faire la biographie du Prophète, il reflétait plutôt le souci qu'avait la Communauté d'authentifier son vécu en le

1. Dans la Bible, l'attribution de tel Livre à tel roi ou à tel prophète relève souvent d'un «code» semblable.

situant comme un maillon dans une chaîne qui le reliait au Prophète et, par là, au Livre.

La science du *Hadith*. La Communauté sentait pourtant que cette prolifération de *Hadith* ne pouvait continuer indéfiniment sans saper l'autorité même de la Tradition et celle du Coran. Ce code était à ce point dominant dans la Communauté que la première réaction à la distorsion et à la fabrication de *Hadith* dut elle-même s'exprimer sous forme de *Hadith*. C'est ainsi qu'on trouve un *Hadith* attribuant au Prophète ces paroles: «Quiconque me prêtera des paroles que je n'ai pas dites, sa demeure sera l'Enfer.»

Les experts en Tradition s'employèrent à établir une méthode de contrôle permettant de séparer les *Hadith* authentiques de ceux qui étaient forgés. Le premier pas fut d'exiger que le récit soit précédé de la chaîne des transmetteurs (*isnad*: la partie [A] dans l'exemple donné plus haut). Sur cette base, une science critique du *Hadith* s'élabora aux IIe et IIIe siècles de l'Islam. La première entreprise de cette nouvelle science fut de mettre au point une information biographique adéquate concernant les transmetteurs figurant dans l'*isnad* (chaîne). C'est ainsi que furent produits de volumineux dictionnaires biographiques permettant d'évaluer la solidité de la chaîne de transmetteurs.

Toute cette recherche permit de classer chaque *Hadith* dans une des trois catégories suivantes: «sain» (fort), «bon» ou «faible». Ces qualificatifs s'appliquaient à la transmission [A] et non au contenu [B] du *Hadith*.

Les grands recueils de *Hadith*. La classification des *Hadith* se concrétisa dans des recueils écrits qui servaient à la fois aux experts de la loi et à ceux de la «théologie». Deux de ces recueils devaient rapidement acquérir une grande autorité, reconnue encore aujourd'hui: les recueils de al-Bokhari (mort en 870) et de Mouslim (mort en 875). Le recueil de Bokhari est un livre qui se place immédiatement après le Coran dans la vénération des musulmans. Il regroupe les *Hadith* sous des thèmes généraux (le jeûne, le mariage, la prière, etc.), eux-mêmes subdivisés en chapitres (*bab*). Cette classification reflète l'intention du recueil: alors que les recueils précédents regroupaient les *Hadith* sous le nom de chacun des transmetteurs (ce qui servait les experts de la Tradition), celui de Bokhari voulait rendre facilement accessibles, aux hommes de loi et aux «théologiens», des *Hadith* minutieusement triés et couvrant toutes les questions de foi et de conduite. Des quelque deux cent mille *Hadith* que Bokhari a examinés, il n'en a retenu que 2762 comme «authentiques». Cela laisse entrevoir l'ampleur qu'avait prise la «pieuse fabrication» de *Hadith.*

Toutefois, la compilation des *Hadith* ne cessa pas avec les recueils de Bokhari et de Mouslim, bien au contraire. L'élaboration de la Loi, activité dominante de la pensée religieuse musulmane, avait encore besoin de *Hadith* pour donner autorité à plusieurs points dont ne traitaient ni le Coran ni les deux recueils critiques. Les compilateurs, ainsi tenus d'assouplir quelque peu les règles strictes appliquées précédemment, durent admettre certains *Hadith* moins «forts». Quatre ouvrages de ce genre en vinrent à faire autorité en matière de Loi; on les appela les «Quatre *sonan*». Avec les deux *Sahih* (recueils de Bokhari et de Mouslim), ils formèrent l'ensemble des «Six Livres» qui font encore autorité aujourd'hui.

Le rôle de la Tradition

C'est ainsi que le *Hadith* en arriva à jouer un rôle extrêmement important, non seulement comme véhicule et support de la *Sunna* du Prophète, mais par lui-même, en tant que support de la Loi qui s'élaborait. Sur ce plan, le *Hadith* jouait un rôle de relais, de médiation entre le vécu historique de la Communauté et la *Sunna* du Prophète. Dans leur gigantesque travail de recherche, les experts musulmans du VIIIe siècle exprimaient ce qui semblait être la position authentiquement islamique dans des situations historiques nouvelles et face à des tendances déviantes. Le «codage» du *Hadith* servait à approuver et à donner autorité aux résultats de cette recherche en les reliant au ferme point d'ancrage que représentait la *Sunna* du Prophète (ses paroles et son comportement).

Lorsqu'on considère ce développement avec un recul, on peut se demander si la Tradition (*Sunna* et *Hadith)* n'a pas joué un rôle aussi important que le Coran dans le développement de la vie musulmane. Sur le plan dogmatique et intentionnel, le Coran était et demeure l'autorité suprême en Islam, mais sur le plan historique, dans le fonctionnement passé et actuel de la société musulmane, l'autorité exercée pratiquement par la Tradition est peut-être plus décisive. Au départ, en effet, le potentiel du Coran aurait sans doute pu produire d'autres types de sociétés, d'autres «traductions» historiques du Livre. Si l'Islam a pris la physionomie qu'on lui connaît aujourd'hui, c'est qu'en raison de facteurs historiques, le Livre a été lu, de façon nettement prépondérante, sur la base de la Tradition plutôt que sur d'autres bases.

L'autorité conférée à la *Sunna* du Prophète a eu des conséquences doctrinales et pratiques. Sur le plan doctrinal, la Communauté musulmane devait, logiquement, considérer le Prophète comme infaillible et même «implicitement» inspiré dans ses paroles et dans ses actions. S'il n'en était pas ainsi, on risquait de se retrouver dans l'erreur en prenant comme point de repère et d'autorité la conduite du Prophète. Certaines écoles théologiques firent de cette déduction une doctrine de foi, ce qui équivalait presque à mettre la personne du Prophète sur le même pied que le Coran. L'instinct des musulmans se refusera généralement à aller aussi loin.

Sur le plan pratique, l'autorité de la Tradition se traduira par la conviction que tout ce qui se fait dans la société musulmane doit être, d'une manière ou d'une autre, relié au Prophète. Cette conviction est encore solidement ancrée dans la conscience musulmane et elle lie souvent la modernisation à la capacité de relier au Prophète les institutions et les pratiques modernes.

Par exemple, à la suite de la création du Pakistan comme État pour les musulmans (1947), un des arguments apportés pour l'adoption du régime parlementaire fut que ce système de gouvernement était «plus islamique», car le Prophète pratiquait la consultation en gouvernant la Communauté de Médine.

Comme nous allons le voir à présent, l'impact majeur de la Tradition se cristallisa dans l'élaboration de la Loi islamique, qui est le monument par excellence de la pensée et de la vie de la Communauté musulmane au Moyen Âge.

La Loi islamique

L'expression la plus poussée de la pensée musulmane se trouve dans la Loi et non dans la «théologie». Ce fait reflète l'esprit de l'Islam, tourné vers la pratique et plus préoccupé de foi en action que de spéculations métaphysiques, comme on l'a déjà noté à propos du Coran. Le cœur de l'engagement propre à l'Islam réside dans le souci concret de vivre selon un modèle établi par Dieu et révélé par l'intermédiaire du Prophète.

Le concept de Shari'a

Ce modèle divin de l'agir humain, c'est la *Shari'a.* Ce terme signifiait originellement «le chemin menant à l'eau», ce qui, en Arabie, équivalait à «la voie menant à la source de vie». Pour l'Islam, la *Shari'a* est devenue la Voie, tracée par Dieu, que l'homme doit suivre afin de réaliser la Volonté divine. Ce concept de *Shari'a* englobe donc tous les aspects de la vie, tout l'agir de l'homme.

Le problème, c'était de savoir comment connaître la Voie. Le Coran était évidemment la source première de cette connaissance. Mais le Livre n'envisageait pas toutes les situations concrètes. On se trouvait alors devant la question formulée au début de ce chapitre: sur quelle base allait-on comprendre le Coran pour en saisir les implications dans le quotidien de l'histoire? Si on regarde le tableau que nous avons dressé pour illustrer cette question, il semble bien, a priori, que chacun des grands courants de la pensée musulmane était susceptible d'apporter quelque chose à la connaissance de la *Shari'a.* De plus, on a l'impression que le caractère englobant de ce concept de Voie aurait pu faire de la *Shari'a* le lieu de synthèse et d'intégration de ces divers courants.

De fait, pendant un certain temps, les ressources de la Tradition (*Sunna* et *Hadith*) et celles de la raison contribuèrent conjointement aux deux activités que connaissait alors la pensée religieuse: la loi (*fiqh*) et la «théologie» (*Kalam*). À ce stade, le terme *Shari'a*, d'ailleurs peu utilisé[2], ne désignait pas plus la loi que la «théologie».

Le terme *Shari'a* devint d'usage commun durant la période critique qui correspond à la controverse déclenchée par les mou'tazilites (IXe siècle). Tout en acceptant la structure générale de la Loi (*fiqh*), ces derniers introduisirent une distinction et une certaine opposition entre *'aql* (voie de la raison) et *Shari'a* (Voie révélée). Dans leur conception, la théologie et les principes fondamentaux de la morale étaient du ressort de la recherche confiée à la raison humaine. Ainsi, pour eux, le bien et le mal n'étaient pas choses déterminées par la Volonté divine, mais quelque chose de «rationnel», que la raison pouvait détecter dans la nature même des choses: Dieu a défendu le meurtre *parce que c'est mal,* ce n'est pas mal parce que Dieu l'a défendu.

Pour la majorité des musulmans, une telle façon de voir semblait restreindre la toute-puissance de la Volonté d'Allah. Par ailleurs, la vision optimiste des mou'tazilites concernant la raison humaine semblait incompatible avec la faiblesse congénitale de l'homme tel qu'il est vu par le Coran.

En raison de la réaction aux thèses mou'tazilites, le terme *Shari'a* fut désormais appliqué à la loi (*fiqh*) plutôt qu'à la «théologie», qui utilisait l'argumentation rationnelle. La

---

2. On utilisait surtout le terme *Din,* «religion». Dans les premiers temps de l'Islam, on ne faisait pas de distinction nette entre ce terme et *Shari'a,* «Voie».

Voie se trouvait désormais localisée dans la loi. Les musulmans n'avaient pas à chercher la Voie dans des principes généraux de morale où la raison risquait de s'égarer, ils n'avaient qu'à suivre les prescriptions précises d'une loi qui s'enracinait dans le Coran et dans la Tradition: cette loi, c'était maintenant LA Loi, Voie tracée par Dieu pour guider les croyants.

Quand on traduit *Shari'a* par «Loi», il faut donc se rappeler qu'il ne s'agit pas d'une loi au sens courant du terme: la *Shari'a* n'est pas, dans l'optique musulmane, le produit de la volonté humaine d'une société; elle n'est pas la propriété d'une institution qui serait clairement désignée pour l'appliquer et, au besoin, la réviser. Cette Loi a une structure qui reflète, d'une part, le caractère divin que la foi musulmane reconnaît à la *Shari'a* et, d'autre part, la fonction que l'historien y décèle: une fonction de relais, un lieu d'interaction entre le Livre et le vécu des croyants dans l'histoire.

La structure de la Loi

Selon la théorie musulmane reconnue à partir du Moyen Âge, le système de la Loi islamique repose sur quatre composantes qu'on appelle les «sources de la Loi»: le Coran, la *Sunna* (Tradition), le *qiyas* («analogie»), et l'*idjma'* (consensus).

Pour les juristes musulmans, la Loi n'était pas l'objet d'une étude empirique ou indépendante: c'était l'aspect pratique de la doctrine religieuse et sociale transmise par Mohammed. Il était donc naturel que le Coran soit considéré comme la première source de la Loi. Le Coran propose certaines attitudes spirituelles et morales. Mais la partie proprement législative du Coran était relativement mince et, pris tels quels, les textes du Coran étaient loin de couvrir toutes les situations de la vie concrète. Il fallait donc comparer ces textes, les interpréter, et en tirer des principes s'appliquant à d'autres situations.

L'interprète premier et le plus fiable du Coran, c'était

évidemment le Prophète, celui qui en avait fait la première application dans la Communauté concrète de Médine. Ses paroles et ses gestes (*Sunna)*, transmis par une chaîne reconnue de narrateurs, formaient donc une sorte de commentaire et de supplément du Coran, une deuxième source pour la Loi. L'inventaire de ces deux premières sources de la Loi s'appuyait sur les disciplines («sciences») dont nous avons parlé à propos du Coran et du *Hadith.*

Il surgissait néanmoins de nombreux problèmes de loi qui n'étaient pas couverts par une affirmation claire du Coran ou de la Tradition. C'est alors qu'intervenait la troisième source de la Loi, le *qiyas*, l'analogie, c'est-à-dire l'application, à un nouveau problème, des principes sous-jacents à une décision claire concernant un autre problème estimé semblable (analogue) au nouveau problème. Le Coran et la *Sunna*, par exemple, ne parlent pas de la drogue, mais ils défendent l'usage du vin; or la drogue produit, comme le vin, une intoxication: elle doit donc être interdite par la Loi.

Cette forme de raisonnement, consciente et organisée, avait été précédée par le *ra'y,* opinion ou jugement personnel, qui impliquait une méthode analogique plus ou moins consciente. Sous forme d'«analogie» ou d'«opinion», l'activité personnelle, appelée *idjtihad* (recherche personnelle), représentait un élément de liberté, une zone d'intégration et de créativité mettant à profit certains matériaux juridiques trouvés chez les peuples conquis. Mais avec le temps, le produit de cette libre activité prenait la forme d'une forêt touffue d'opinions. L'instinct d'équilibre, caractéristique de la Communauté musulmane, appelait alors un élément complémentaire de coordination et de contrôle des opinions.

Cet élément de coordination, c'était l'*idjma'* (consensus), quatrième source de la Loi islamique. Avant même l'adoption formelle du *qiyas* (analogie) dans le secteur de la Loi, une bonne part de consensus s'était développée dans le secteur de la Tradition (*Sunna* et *Hadith*). Théoriquement, le consensus appartenait à la Communauté, mais pratiquement, il devint l'apanage des *'Oulama,* «experts» ou «docteurs» de l'Islam. Au départ, l'interaction entre l'*idjma'* et le *qiyas* («analogie» exercée dans l'*idjtihad*, activité personnelle) n'était pas conçue comme un principe statique mais comme un processus dynamique d'assimilation, d'interprétation et d'adaptation. Mais l'évolution historique allait bientôt modifier l'équilibre de la structure de la Loi et lui enlever sa mobilité.

L'immobilisation de la structure

Dans le fonctionnement de cette structure, le consensus occupait une position stratégique, décisive. On reconnaissait au consensus une autorité non seulement pour discerner ce qui était bien dans le présent et l'avenir, mais aussi pour établir ce qu'était le passé. En dernière analyse, c'était l'*idjma'* qui déterminait ce que la *Sunna* du Prophète avait été, et également ce qu'était l'interprétation correcte du Coran.

En soi, cette structure permettait une certaine mobilité tant que l'équilibre se maintenait entre l'élément «progressif» (l'analogie et la recherche personnelle) et l'élément stabilisateur (le consensus). Mais avec la montée massive du *Hadith*, cet équilibre fut rompu. Sous l'influence du juriste al-Shafi'i (mort en 819), on mit tellement l'accent sur la Tradition que la recherche personnelle par l'analogie devint pratiquement inutile dans la mesure où le *Hadith* apportait des réponses précises — étrangement précises, comme on l'a vu — à tous les problèmes.

Séparé de l'élément qui lui donnait vitalité (la recherche personnelle), le consensus continua pendant quelque temps à s'appliquer au *Hadith.* Mais lorsque le consensus eut reconnu assez de *Hadith* pour combler le vide de la Loi, il cessa d'avoir sa raison d'être comme processus vivant. Au début du Xe siècle, on déclara final et définitif le consensus auquel on en était arrivé, et «la porte de l'*idjtihad* fut fermée».

Ainsi, la structure se refermait en quelque sorte sur elle-même, empêchant tout développement ultérieur: l'*idjma'* ne serait plus le consensus des experts vivants, contemporains, mais celui des experts passés. Ce qui était légué aux générations futures n'était plus une structure, un mécanisme créateur, mais son produit, qu'on jugeait achevé, complet et immuable.

Cette immobilisation de la structure au profit d'un résultat qui semblait permanent apporta une certaine stabilité à la vie religieuse musulmane. Cette stabilisation opérée dans la *Shari'a* allait favoriser la cohésion de la Communauté musulmane au-delà de son effritement politique. Mais à long terme, cette même stabilité allait contribuer à l'espèce de stagnation ou de léthargie qui succédèrent à une période de brillante création. Avec la période moderne, l'emprise de la *Shari'a* sur la vie des croyants allait devenir de plus en plus marginale[3], même si pour certains musulmans modernes elle représente un archétype qu'il suffirait d'appliquer, dans les États musulmans, pour obtenir une société parfaite aux yeux d'Allah et aux yeux des hommes.

Dans le développement de l'Islam, le concept de *Shari'a* a été investi dans la Loi. En tant que processus vivant activé par la Communauté musulmane, la structure de cette Loi a joué un rôle de relais entre un Livre perçu comme éternel et le vécu des croyants situé dans le temps. L'équilibre dans les éléments de cette structure reflétait la médiation opérée par la Loi. La mobilité contrôlée de cette structure permettait aux croyants d'établir un pont entre des situations mouvantes et un Livre immuable.

L'équilibre de la structure fut rompu au profit de la stabilité. La structure du relais (La Loi) s'était immobilisée et rejoignait de moins en moins la vie des croyants, certes soumis à Allah, mais soumis également à la mobilité de l'histoire.

---

3. À ce sujet, voir le chapitre 7. Quant au contenu de la Loi islamique, nous en mentionnerons certains aspects au chapitre 6.

Les écoles de Loi

Le concept de *Shari'a* (Voie tracée par Dieu) et la structure de la Loi (les quatre «sources») justifiaient et systématisaient, sur le plan de la pensée, quelque chose qui se déroulait dans les faits. Sur le plan pratique, on peut dire que la Loi islamique a été la création, l'œuvre des juristes musulmans. C'est probablement là ce qui en fait une expression caractéristique des instincts religieux les plus profonds de la Communauté: celle-ci donnait une valeur religieuse à son vécu en le reliant au Livre par le médium de la Loi. C'est ce côté «humain» de la Loi que nous allons brièvement souligner.

À l'origine, la loi était un ensemble de pratiques légales de provenance hétérogène: droit coutumier arabe, loi commerciale de La Mecque, loi agraire de Médine, éléments de droit (surtout Syro-romain) empruntés aux peuples conquis et accommodés aux exigences du Coran. Sous les Omayyades, l'administration pratique de la loi était généralement confiée à des officiers civils et militaires, alors que la formulation de la Loi révélée était laissée aux experts religieux. La libre activité de ces derniers produisit, dans différents centres de l'Irak, de l'Arabie, de la Syrie et de l'Égypte, un important arsenal d'opinions légales. Ces opinions présentaient des différences régionales, selon les façons d'interpréter le Coran et la *Sunna* (coutume du Prophète) à la lumière du droit coutumier local. L'ensemble légal ainsi produit fut aussi appelé *Sunna,* et les *Sunna* locales comportaient des différences de détail dans les différentes provinces.

Graduellement, avec le développement du concept d'*idjma'*, les centres d'activité légale fusionnèrent et, dans un mouvement de rapprochement, les opinions légales se cristallisèrent autour de certaines grandes écoles. Cette cristallisation s'accentua avec l'avènement des Abbassides (750). Ayant en quelque sorte promis d'établir le règne de Dieu sur terre, ceux-ci confièrent l'administration légale à des experts de la Loi religieuse.

Quatre grandes écoles juridiques furent acceptées et s'acceptèrent mutuellement comme «orthodoxes». Elles ne sont donc pas des «sectes» de l'Islam, mais des *madhhab* (voies, écoles) qui se différencient selon l'accent mis sur l'un ou l'autre des éléments («sources») de la Loi. Leurs divergences pratiques portent surtout sur des détails d'application. Le tableau qui suit donne une idée de ce qu'étaient ces quatre écoles, habituellement désignées par le nom de leur fondateur.

École	*Fondateur*	*Centre originel*	*Accent mis sur:*	*Aujourd'hui prédomine en*
Malikite	Malik ibn Anas (713?-795)	Médine	La *Sunna* (tradition vivante) de Médine	Afrique du Nord Afrique occid. Haute-Égypte
Hanafite	Abou Hanifa (699-767)	Irak	*Ra'y* et *Qiyas* (jugement personnel par l'analogie) [l'École la plus souple]	Turquie Basse-Égypte Pakistan Inde Bangladesh Chine
Shafi'ite	al-Shafi'i (767-820)	Égypte	*Hadith* (tradition orale)	Afrique orientale Afrique mérid. Indonésie Ouest de l'Arabie
Hanbalite	Ahmed ibn Hanbal (780-855)	Irak	*Hadith* Réaction vs jugement personnel [l'École la plus rigide]	Arabie (nord et centre)

5

«THÉOLOGIE», PHILOSOPHIE ET MYSTIQUE EN ISLAM

Enracinées dans le Coran et portées par l'histoire, la pensée et la vie religieuses de l'Islam se sont particulièrement cristallisées dans deux relais majeurs: la Tradition (*Sunna* et *Hadith*), et la Loi (*Shari'a*). Un troisième relais majeur entre le Livre et la Communauté (*Oumma*) devait aussi marquer le développement de l'Islam au Moyen Âge: le soufisme (mystique musulmane), dont nous avons déjà parlé. Par ailleurs, la découverte de la pensée grecque donnera lieu à des productions intellectuelles relativement mineures: le *Kalam* («théologie») et la *Falsafah* (philosophie).

Le Kalam («Théologie»)

D'après sa racine arabe, le mot *Kalam* signifie «discussion, discours, dialectique». Pris en un sens plus particulier, ce terme désigne une des sciences religieuses de l'Islam. Il signifie alors: *(a)* l'exposé systématique d'une croyance religieuse ou *(b)* l'argumentation rationnelle qui appuie cette croyance.

Sous son premier aspect, le *Kalam* s'apparente à la théologie, terme souvent utilisé par les Occidentaux pour traduire le mot *Kalam.* Mais, sous son deuxième aspect, qui prédominera concrètement, le *Kalam* s'apparente davantage à l'apologétique (science qui défend une croyance religieuse à l'aide d'arguments rationnels). C'est pourquoi nous utilisons «théologie» entre guillemets pour marquer le côté partiel de la ressemblance entre le *Kalam* en Islam et la théologie dans le christianisme.

L'importance relative du Kalam

Pendant la majeure partie de leur histoire, les musulmans ont montré assez peu d'intérêt pour l'expression intellectuelle systématique de leur foi. Cette foi cheminera pendant plus de deux siècles avant que le *Kalam* ne prenne son véritable essor (IXe siècle), ce genre de recherche intellectuelle n'étant pas l'une des préoccupations les plus urgentes de la Communauté musulmane. Une fois implanté et développé, le *Kalam* n'occupa pas très longtemps l'esprit et le cœur des musulmans. L'instinct religieux des croyants délaissa les exposés doctrinaux assez arides des docteurs du *Kalam* pour se tourner vers les questions pratiques de la Loi, d'une part, et vers le mouvement mystique des soufis d'autre part.

Le développement du *Kalam* fut stimulé à la fois par des facteurs internes et externes à la Communauté musulmane. Sur le plan interne, l'étude du Coran se heurtait à des problèmes de contenu; certains versets semblaient contradictoires, d'autres plus ou moins clairs. Il y avait là matière à recherche et à discussion pour des gens pieux et sincères qui voulaient mieux comprendre les exigences de leur foi. Ces discussions avaient en même temps un enjeu politique en raison des tensions que suscitait le régime des califes omayyades (656-750).

Sur le plan externe, les croyants, dans des centres comme Damas et Basra, faisaient face à des polémistes appartenant à diverses religions: christianisme, judaïsme, zoroastrisme et même bouddhisme. Raffinés et intellectuellement bien équipés, ces adeptes d'autres religions utilisaient volontiers l'arsenal de la pensée grecque pour attaquer les doctrines encore mal formulées de la jeune Communauté musulmane. C'est ainsi que pour des raisons d'autodéfense aussi bien que de piété, les musulmans furent en quelque sorte contraints de formuler d'une façon précise les articles majeurs de leur foi.

Premières tendances

Avant même que le *Kalam* ne soit établi, la première question débattue fut celle de la prédestination et de la liberté (libre arbitre). Qui a pouvoir sur les actes humains? La volonté libre de l'homme ou un décret divin préexistant? Les trois tendances qui s'affirment, en réponse à cette question, expriment sur le plan théologique des positions politiques devant le califat ommayyade.

Pour les DJABARITES, partisans du pouvoir divin de contrainte (*djabar*) et partisans des Ommayyades, l'homme n'a pas de causalité véritable sur ses actes; il n'est pas libre. Dieu seul agit vraiment: rien n'échappe à sa toute-puissante volonté. Pratiquement, cela voulait dire que les Omayyades étaient au pouvoir par la volonté même de Dieu: même s'ils agissaient comme des «pécheurs», ils restaient musulmans, et les croyants devaient leur rester soumis.

Les QADARITES représentaient l'opposition au régime omayyade, et pour eux l'homme a plein pouvoir (*qadar*) sur ses actes, il en est le seul responsable puisque, dans sa justice, Dieu ne peut punir ou récompenser l'homme pour des actes qui ne seraient pas issus de la libre volonté humaine. Les qadarites limitaient ainsi la puissance de Dieu au profit de sa justice, en soulignant la liberté de l'homme.

Quant aux MOURDJI'ITES, ils «remettaient» à Dieu le sort du pécheur, n'osant se prononcer sur le plan théologique et appuyant le pouvoir établi des Omayyades. Dans cette discussion, chacune des tendances pouvait se réclamer du Coran, puisque ce dernier était ambivalent, affirmant à la fois la toute-puissance d'Allah et la responsabilité de l'homme, le décret divin et la justice de la rétribution.

Les mou'tazilites

La première école de *Kalam* fut, à proprement parler, celle des mou'tazilites, dont nous avons parlé plus haut. Ce groupe est probablement celui qui a eu la plus grande part de responsabilité dans l'émergence du *Kalam* et dans la direction qu'il devait prendre par la suite.

On appelle parfois les mou'tazilites «les rationalistes de l'Islam», comme s'ils plaçaient la raison au-dessus de la Révélation ou contre elle. En réalité, s'ils prônaient l'usage du raisonnement et, en particulier, de la pensée grecque, ce n'était pas pour attaquer la religion islamique, mais bien pour la défendre, d'une part contre l'invasion de la philosophie grecque, d'autre part contre les croyances folkloriques et mythologiques que l'imagination populaire empruntait aux religions ambiantes. C'étaient des croyants pieux et sincères qui voulaient donner de l'Islam une présentation plus adéquate que celle de la majorité des musulmans.

Les mou'tazilites étaient connus comme les «tenants de l'Unicité et de la Justice» (de Dieu). Comme les qadarites, ils appuyaient sur la JUSTICE divine leur affirmation de la libre volonté humaine, déclarant que l'homme est le créateur de ses actes. Pour eux, le bien et le mal existaient dans les choses et étaient décelables pour la raison humaine; dans sa justice, Dieu ne pouvait que se conformer à ce bien; il ne pouvait, par exemple, faire du meurtre une chose bonne: ç'eût été là une manifestation arbitraire de puissance, au détriment de la justice.

En ce qui concerne l'UNICITÉ, ou la simplicité de Dieu, les mou'tazilites voulaient purifier le monothéisme islamique de tout ce qui pouvait ressembler à un compromis. Ainsi, ils excluaient toutes les représentations d'Allah qui, selon eux, le réduisaient à la catégorie de créature. Pour eux, des expressions coraniques comme «Allah est assis sur un trône...», «Allah voit...», «Allah entend...» ne devaient pas être comprises au sens littéral, comme paraissaient le faire leurs contemporains, mais au sens figuré ou allégorique. Ils niaient le caractère éternel des «attributs» divins cachés sous les quatre-vingt-dix-neuf noms (qualificatifs) que le Coran donne à Allah. Dans leur optique, faire de ces noms des attributs incréés et distincts de l'Essence divine, c'était donner des «associés à Dieu», des égaux incréés et distincts.

Pour la même raison, le Coran, Parole de Dieu, ne pouvait être incréé.

Patronnés par le calife al-Ma'moun (813-833), les mou'tazilites eurent recours à une sorte d'inquisition pour faire triompher leurs vues. Sans doute traumatisée davantage par cette intolérance que par les opinions mêmes des mou'tazilites, la majorité de la Communauté musulmane rejeta bientôt cette doctrine. Mais la vigueur de l'emprise intellectuelle des mou'tazilites amena d'autres penseurs à élaborer la position doctrinale qu'a retenue, par la suite, la majorité des musulmans sunnites. Ainsi, cette position, l'ash'arisme, représente une réaction de rejet en même temps qu'une absorption sélective du mou'tazilisme.

Ash'arisme et matouridisme

Avec l'avènement du calife Motawakkil (847-861), les mou'tazilites furent à leur tour persécutés. Le *Kalam* subsista, mais sous une forme atténuée, redonnant à la Tradition la primauté sur la raison. Le *Kalam* «acceptable» pour la majorité des croyants eut pour chefs de file al-Ash'ari (873-941) et al-Matouridi (mort en 944).

Ancien mou'tazilite converti à la Tradition, al-Ash'ari conserva la méthode mou'tazilite, qu'il allia au contenu de la Tradition. Devenu célèbre à la suite du triomphe de son école, al-Ash'ari fut, de son vivant, regardé avec suspicion, même s'il essayait de tenir une position conciliatoire entre mou'tazilisme et Tradition. Il ne réussit d'ailleurs pas toujours à tenir une telle position; par exemple, s'il faut croire, disait-il, c'est parce que «cela est écrit». Cette conviction ne laissait pas grand place à la raison. Plus habile, al-Matouridi déclarait que le devoir de croire en Dieu est fondé sur le commandement divin, mais que celui-ci peut toutefois être perçu par la raison.

Par la suite, les disciples d'al-Ash'ari l'emportèrent sur la branche matouridite. Ils surent faire une place, dans la connaissance religieuse, à la raison spéculative modérée et acceptèrent des interprétations allégoriques du Coran proposées par les mou'tazilites. Ils tenaient ainsi le juste milieu entre la négation des attributs divins (tentation des mou'tazilites), et l'interprétation littérale du Livre sacré. Jugeant excessive la vénération de certains musulmans pour le texte même du Coran, ils affirmaient, «sans préciser le comment», que la Parole d'Allah est incréée, mais que les lettres et les sons qui servent à l'extérioriser sont créés.

Cette attitude («sans préciser le comment») s'appliquait également à la question des attributs de Dieu, différents de son Essence: ils ne sont pas lui, mais ils ne sont pas autres que lui, sans qu'on puisse savoir comment. Sur le plan philosophique, c'était là une formulation plutôt imprécise, mais sur le plan religieux, elle rendait bien compte du caractère inexprimable d'Allah, le Dieu insaisissable du Coran[1].

L'ash'arisme soutient que les actes humains, créés directement par Dieu, comme toute chose, sont «attribués» à l'homme, qui en est juridiquement responsable. Pratiquement, cette doctrine signifie la négation de la volonté libre de l'homme et la négation des «causes secondes» («intermédiaires»). Cela explique peut-être une attitude que l'on rencontre encore aujourd'hui chez certains musulmans et que les Occidentaux perçoivent comme étant du fatalisme. Un exemple: si un train déraille, ce n'est pas à cause d'une déficience technique ou humaine («causes secondes»), mais tout simplement parce

---

1. Cf. Cor. 2:255 (texte cité à la p. 56).

qu'Allah l'a voulu. L'expression courante *In sha' Allah* («Si Dieu le veut») reflète elle aussi cette révérence pour la Volonté toute-puissante d'Allah qui, dans l'ash'arisme, domine la volonté libre de l'homme et la réduit à peu près à rien. Les matouridites, eux, reconnaissaient la liberté humaine presque sans réserve, mais sans explication.

Malgré la revivification d'al-Ghazzali (1058-1111), les deux grandes écoles du *Kalam* se figèrent assez tôt dans les redites des manuels scolaires. Aujourd'hui encore, ash'arisme et matouridisme constituent la base de l'enseignement religieux officiel. À la période moderne, deux essais de renouveau retiennent l'attention: celui d'al-Afghani (1838-1897), et surtout celui de son disciple Mohammed 'Abdouh (1849-1905). Leur effort visait à repenser la «théologie» musulmane en fonction des problèmes de l'heure. Les résultats de cette entreprise sont très palpables, mais leur profondeur et leur autorité ne se comparent pas à celles d'al-Ghazzali.

La philosophie en Islam

En faisant usage de la pensée grecque (hellénistique), les mou'tazilites ont forcé les «gens de la Tradition» à utiliser le même outil pour défendre leurs vues. À la même époque, un autre groupe de penseurs, encore plus imbu de la pensée grecque, faisait son apparition parmi les musulmans. Ces gens furent appelés «philosophes» (*falasifah)*, ce nom même indiquant leur dépendance à l'égard de la philosophie hellénistique transmise par les traductions du IXe siècle (ap. J.C.).

La situation des philosophes

Alors que le but principal des experts du *Kalam* (théologiens) était d'utiliser la pensée grecque pour exposer la religion de manière ordonnée, les philosophes semblaient beaucoup plus préoccupés par les problèmes spéculatifs de cette même pensée. Malgré cette tendance prédominante, ils n'en étaient pas moins des musulmans vivant dans une société musulmane et héritiers de la Tradition islamique. Le problème qui les caractérisait fut précisément la nécessité d'adopter et d'harmoniser le fonctionnement intellectuel de ces deux éléments (grec et islamique).

Unir la pensée grecque et la foi musulmane ambiante s'avéra être une tâche assez difficile. Les philosophes se trouvèrent bientôt en conflit avec la majorité de la Communauté, les «gens de la Tradition». Les philosophes estimaient pourtant être fidèles à la foi musulmane. Même lorsque la rigueur de leur pensée les amenait à rejeter certaines croyances ancrées dans l'ensemble de la Communauté, ils considéraient leur position comme une «lecture» du Livre plus authentique que celle faite communément.

L'ensemble de la Communauté avait bien sûr une tout autre perception des choses. Les «gens de la Tradition» voyaient dans l'activité des philosophes une entreprise suspecte et, au mieux, inutile. Formant une élite intellectuelle assez peu nombreuse, les philosophes furent l'objet d'attaques vigoureuses et souvent calomnieuses. Cette réaction de rejet persista, et l'œuvre des philosophes musulmans est encore considérée aujourd'hui, par les sunnites, comme étrangère aux sciences islamiques reconnues comme «religieuses».

Points de conflit

Certains points de la pensée des philosophes heurtèrent tout particulièrement les conceptions religieuses de la Communauté. On reprochait principalement aux philosophes leur croyance en l'éternité du monde, leur affirmation d'un déterminisme universel limitant la Puissance et la Volonté d'Allah et leur négation de la résurrection des corps. En réalité, ces points d'affrontement cristallisaient un enjeu encore plus vaste: ils mettaient en cause la conception de Dieu, de la création et de l'homme.

La pensée grecque qui fascinait les philosophes musulmans et qu'ils croyaient être celle d'Aristote et de Platon était en réalité celle du néo-platonisme, issue de la jonction entre les influences rationnelles de la Grèce et les influences mystiques d'origine hindoue et juive. Fondamentalement, cette pensée reposait sur un dualisme opposant Dieu, Un, pensée pure, et la matière, multiple, éternelle et incréée. Le fossé séparant ces deux éléments était comblé par une série d'intermédiaires, émanations successives et nécessaires de l'Être suprême.

De ce système, les philosophes musulmans retinrent la conception de Dieu, Intelligence pure, dont l'activité ne connaît pas de limite. En admettant l'existence éternelle du monde, émanation continue de l'essence divine, ils niaient l'idée de création, qui expliquait l'origine du monde par un acte libre de Dieu tirant le monde du néant. Le philosophe Averroès (Ibn Roshd: 1126-1198) essaya de maintenir l'idée de création en la présentant comme un passage du possible à l'existant, mais cela semblait encore assez loin des descriptions du Coran[2].

Quant au passage de l'Un au Multiple, Avicenne (Ibn Sina: 980-1037) l'expliqua par une série d'intermédiaires, hiérarchie d'esprits dont chacun produit une sphère céleste. Le dernier est l'Intelligence qui crée le monde sublunaire et illumine les intelligences humaines. Le monde créé est ainsi réglé par un déterminisme interne et rigoureux. Cette vision contraste avec la conception ash'arite (*Kalam* officiel), où c'est la Volonté libre de Dieu qui donne directement, à chaque moment et à chaque être, la place qu'il occupe dans l'univers.

L'héritage grec marque aussi la conception de l'âme humaine. Dans la théorie d'Aristote, la connaissance consiste en la transformation, par l'intellect agent, de l'intellect possible humain en un intellect actif. Pour les philosophes arabes, l'intellect agent est une substance immatérielle et commune à tous les hommes; sur l'intellect possible, on hésite entre âme immortelle ou simple faculté liée au corps et périssant avec lui. Sur cette base, al-Farabi (872-950) soutenait que seule

2. Cf. p. 57-58.

l'âme survit et que seules les âmes des penseurs (esprits «développés») survivent. Pour Avicenne, toutes les âmes humaines survivent, mais non les corps, qui ne peuvent ressusciter. Averroès se rapprochait de l'Islam officiel en disant que le corps ne peut être ressuscité, mais qu'un corps absolument identique serait fourni aux élus.

Influence de la philosophie

Al-Ghazzali s'attaqua aux thèses des philosophes pour les réfuter, attitude reflétant le sentiment de la Communauté à l'égard de la philosophie et des philosophes. À ces derniers, il restait deux champs d'action acceptés, dans lesquels ils se réfugièrent: le *Kalam* et le soufisme (mystique). Leur influence, bien qu'affaiblie, se fit sentir dans ces deux domaines.

Les méthodes et les concepts de leur spéculation philosophique continuèrent de jouer un rôle important dans le fonctionnement du *Kalam.* Les idées du néo-platonisme, transmises par eux, affectèrent la pensée et la théorie des soufis. De plus, elles contribuèrent à transmettre aux générations suivantes la pensée philosophique de l'Antiquité. Au Moyen Âge, les philosophes européens acquirent leur connaissance d'Aristote par l'intermédiaire des œuvres arabes et des traductions des musulmans.

La mystique musulmane (soufisme)

Le développement de la Loi (*Shari'a*) et celui de la «théologie» (*Kalam*) répondaient certes à certains besoins de la Communauté musulmane. Mais ces deux développements n'épuisaient pas les besoins des croyants. En tant que relais entre le Livre et les croyants, la Loi et le dogme mettaient en relief certains aspects du Coran en les explicitant, mais ils voilaient ou laissaient dans l'ombre d'autres aspects du Livre. Ainsi, la relation personnelle et intérieure entre Dieu et l'homme, présentée d'une façon si vivante et si directe par le Coran, ne trouvait pas son compte dans la superstructure légale et dogmatique.

La Loi et le dogme officiel servaient plutôt à encadrer et à canaliser le sentiment religieux qu'à l'inspirer. Pour un grand nombre de croyants, ce sentiment religieux devait trouver son élan et son expression dans la voie et les institutions de la mystique musulmane. Nous avons déjà situé la montée du soufisme et son impact dans le développement de l'Islam; nous allons tenter à présent d'en souligner certains aspects plus internes.

Les premiers développements

Dans l'expérience du Prophète et dans le Coran, on trouve des éléments à caractère nettement mystique[3]. Ces éléments fournirent la base et un certain contenu dans le développement d'une tradition mystique au sein de la Communauté musulmane. En Islam, la mystique est habituellement appelée soufisme (*tasawwouf*). Cette appellation se réfère à la robe de laine rude (*souf*) que portaient les mystiques. Ce terme (soufisme) reflète donc les pratiques ascétiques qui caractérisèrent les débuts de la mystique en Islam.

L'ascèse était elle-même reliée à une attitude morale où primait l'abandon et la confiance en Dieu face aux conflits politiques et à la mentalité mondaine des gouvernants. Dès le VIIIe siècle apparaissaient en Irak des groupes d'ascètes qui, menant une vie de pauvreté, cultivaient la «confiance en Dieu» et pratiquaient le *dhikr*: «répétition» du nom d'Allah alliée à la récitation du Coran. Cette pratique était bien dans la ligne du Coran, qui disait au Prophète (Cor. 73:2-4, 8):

3. Par exemple ce qui entoure l'appel à la mission prophétique: méditation à l'écart, visions, doutes intérieurs. Pour le Coran, voir par exemple certains textes cités précédemment: Cor. 50:16 (p. 56); Cor. 24:35 (p. 59).

Tiens-toi debout, en prière,
une partie de la nuit,
la moitié ou un peu moins ou davantage
et récite avec soin le Coran.

[...]

Invoque le Nom de ton Seigneur;
consacre-toi totalement à lui.

Ces pratiques de piété furent bientôt orientées dans une direction plus précise: la recherche des expériences d'intimité avec Dieu, expériences qui sont le sommet de la mystique. Au début du VIIIe siècle, une intense ferveur religieuse avait réuni un groupe de mystiques. C'est parmi eux que vivait une femme simple, Rabi'a (720?-801). Pour elle, l'expérience mystique prenait la forme d'une union d'amour avec Dieu, selon la parole du Coran: «Dieu fera bientôt venir des hommes; il les aimera, et eux aussi l'aimeront.» (Cor. 5:54) On attribue à Rabi'a un poème célèbre qui distingue deux formes d'amour de l'homme envers Dieu: l'amour intéressé, en vue d'une récompense, et l'amour pur, désintéressé, pour Dieu seul, pour lui rendre «ce dont il est digne»:

Je t'aime de deux amours: un amour intéressé
et un amour [qui veut Te rendre ce] dont Tu es digne.
Quant à l'amour intéressé, c'est que je m'occupe
à ne penser qu'à Toi seul, à l'exclusion de tout autre.
Et quant à l'amour [qui veut Te rendre ce] dont Tu es digne,
ah! que je ne voie plus la créature et que je Te voie!
Point de louange pour moi en l'un ni l'autre amours,
mais louange à Toi en tous les deux![4]

---

4. Texte cité dans *Mystique musulmane,* L. GARDET et G.-C. ANAWATI, Paris, Vrin, p. 165.

Confrontation et conciliation

L'influence des écoles mystiques s'étendit peu à peu, non sans causer des tensions au sein de la Communauté musulmane. La tension atteignit son point culminant avec al-Halladj, au début du Xe siècle. Alors que ses prédécesseurs avaient habituellement observé une certaine prudence dans la formulation et la diffusion de l'expérience mystique, al-Halladj estimait que l'amour de Dieu devait être prêché à la masse des croyants et pas seulement à une élite. Son ambition était de gagner à Dieu tous les cœurs, mais son activité fut perçue comme une menace pour l'ordre social et religieux. En 922, à la suite d'un procès où on l'accusa de s'être dit l'égal d'Allah, il fut mis à mort à Bagdad.

L'exécution d'al-Halladj, contrastant avec le climat habituel de tolérance de la Communauté, causa un choc et amena une attitude de conciliation entre le soufisme et l'Islam officiel. Les soufis produisirent des traités exposant ce qu'était la voie du soufisme, de façon à montrer qu'ils ne rejetaient pas l'Islam orthodoxe mais le portaient au contraire à sa plénitude. Le soufisme finit par être accepté des *'Oulama* (docteurs de la Loi et de la Tradition), grâce surtout à l'œuvre d'al-Ghazzali (1058-1111). «Théologien» et homme de loi réputé, al-Ghazzali s'était converti au soufisme à la suite d'une crise spirituelle et avait entrepris ensuite de revivifier la religion officielle par l'apport de la mystique. En purifiant le soufisme de certains de ses aspects déviants et extrémistes, il jeta un pont entre la *Shari'a* (Voie de la Loi) et la *tariqa* (voie mystique). Nous allons décrire à présent les aspects majeurs de cette «voie» telle qu'elle apparaît dans les écrits et la vie des soufis.

La voie mystique

De façon globale, la voie mystique ne se trouve pas du côté de la science (*'ilm*) fabriquée par l'intelligence humaine, mais du côté de la connaissance (*ma'rifa*) intuitive et savoureuse qui est donnée par Dieu. Le savant al-Ghazzali avait maîtrisé les sciences de la religion et les enseignait à l'université. Ce que les sciences n'avaient pu lui donner, il l'avait trouvé dans la connaissance (*ma'rifa*) qui est celle de la voie mystique. Il pouvait donc dire mieux que tout autre:

> Sache que les soufis ont une préférence pour les sciences reçues par voie d'inspiration, non pour celles acquises par l'étude. Aussi ne sont-ils avides ni d'étudier la science, ni d'apprendre tout ce que les auteurs ont composé, ni de scruter les doctrines et les preuves apportées. Ils disent au contraire: la «voie» consiste à préférer le combat spirituel, à faire disparaître les défauts, à couper tous les liens, et à s'approcher de Dieu Très-Haut, par une parfaite application spirituelle. Et chaque fois qu'il en est ainsi, c'est Lui, Dieu, qui prend en charge le cœur de son serviteur, et lui garantit l'illumination par les lumières de la science [reçue][5].

L'entrée dans la voie mystique suppose une prise de distance par rapport aux réalités créées, à travers l'ascèse et le renoncement:

> Les soufis disent que la voie qui mène à un tel but consiste d'abord à trancher toutes les attaches du monde, à rendre son cœur vide de ce dernier, à cesser de se préoccuper de la famille, de la richesse, des enfants, de la patrie, ainsi que de la science, de l'autorité et de l'honneur; et bien plus: à faire parvenir le cœur à un état ou la non-existence de toute chose lui soit indifférente. (Al-Ghazzali)[6]

Quitter le monde extérieur est chose relativement facile, mais faire taire ce qui bouge au-dedans de soi est une tâche

---

5. Cité dans *Thèmes et textes mystiques,* L. Gardet, Paris, Alsatia, 1958, p. 145.
6. *Ibid,* p. 146.

beaucoup plus ardue, comme en fait foi ce texte de Bistami (mort en 874):

> Douze ans, j'ai été le forgeron de mon moi, et cinq ans le miroir de mon cœur; un an durant, j'ai épié entre mon moi et mon cœur; j'ai découvert alors une ceinture d'infidélité qui me ceignait au dehors, et j'ai mis douze ans à la couper; puis je me suis découvert une ceinture intérieure que j'ai mis cinq ans à couper; enfin, j'ai eu une illumination, j'ai considéré la création, j'ai vu qu'elle était devenue un cadavre, je l'ai enterrée, elle n'a plus existé pour moi[7].

Dans l'itinéraire spirituel, les soufis distinguent diverses étapes qui sont de deux types généraux: il y a une série de *maqam*, «stations», «relais», qui sont *acquis* par l'effort personnel, tandis que les «états» (*ahwal*) sont des effets reçus de la bonté divine. De façon générale, voici à quoi se résume la part d'activité qui, selon al-Ghazzali, appartient à l'homme:

> Puis il [le soufi] se retire, seul avec lui-même, dans une cellule, en se bornant à accomplir les préceptes d'obligation et les devoirs religieux; il demeure ainsi le cœur vide, concentré en l'application spirituelle; et il ne disperse sa pensée ni par la lecture du Coran, ni par la méditation d'un commentaire [du Coran], ni par celle des livres des traditions, ou de quelque autre. Mais il fait effort au contraire pour que rien ne lui vienne à l'esprit que Dieu Très Haut[8].

Dans son effort afin de se «centrer» sur Allah, le mystique peut s'aider de la technique du *dhikr* («répétition»). Un texte d'al-Ghazzali illustre cette technique:

---

7. Cité dans *Mystique musulmane*, *op. cit.*, p. 32.
8. Cité dans *Thèmes et textes mystiques, op. cit.*, p. 146.

> Après s'être assis dans la solitude, il ne cesse de dire par sa langue *Allah, Allah*, continuellement, et avec la présence du cœur. Et cela jusqu'à ce qu'il parvienne à un état où il abandonne le mouvement de la langue, et voie le mot comme coulant sur celle-ci. Puis il en vient au point d'effacer la trace du mot sur sa langue, et il trouve son cœur continuellement appliqué au *dhikr*, il y persévère assidûment, jusqu'à ce qu'il en arrive à effacer de son cœur l'image de la locution, des lettres et de la forme du mot, et que le sens du mot demeure seul en son cœur, présent en lui, comme adhérent à lui, et ne le quittant pas[9].

Pratiqué en groupe, le *dhikr* prenait la forme de *sama'* («audition»): au début, c'était le Coran qu'on écoutait réciter, puis cette pratique évolua pour devenir une sorte de «happening» où tout était mis à contribution pour provoquer la transe ou l'extase: musique, poésie, danse (les «derviches tourneurs»), et même l'opium. Cette pratique menaçait de concurrencer les réunions cultuelles et rituelles à la mosquée; elle menaçait aussi de transformer la mystique en une technique mécanique, en un «voyage» psychosomatique provoqué artificiellement et recherché pour lui-même. Ce n'était certes pas là l'amour désintéressé qu'avaient chanté Rabi'a et al-Halladj...

Bien d'autres déviations guettaient le soufi sur la voie mystique. Aussi devait-il se laisser guider par un maître (*shaykh)*:

> Le disciple doit de toute nécessité avoir recours à un maître [en arabe: *shaykh*, ou, en persan: *pir*] qui le guide bien. Car le chemin de la Foi est obscur, mais les chemins du Diable s'ouvrent nombreux, et celui qui n'a pas de *shaykh* pour le guider sera amené par le Diable dans

---

9. *Ibid.*, p. 147. On trouve cette pratique dans d'autres religions, par exemple dans le bouddhisme. Cf. Jacques LANGLAIS, *Le Bouddha et les deux Bouddhismes,* Montréal, Fides, 1975, p. 83-86, 98.

ses chemins. Le disciple doit donc s'accrocher à son maître comme un aveugle au bord d'une rivière s'accroche à son guide, s'en remettant entièrement à lui, ne lui offrant aucune opposition, et s'astreignant à le suivre d'une façon absolue. Qu'il sache ceci: le profit qu'il tire de l'erreur de son maître, à supposer que celui-ci vienne à se tromper, est plus grand que l'avantage qu'il tire de sa propre justesse, à supposer qu'il voie juste[10].

Toute l'activité du soufi n'est cependant qu'une sorte de préparation qui rend possible, mais non due, l'illumination venant de Dieu. Un texte d'al-Ghazzali explique en quoi réside cette préparation:

> Il est en son pouvoir [du soufi] de parvenir à cette limite, et de faire durer cet état en repoussant les tentations; par contre, il n'est pas en son pouvoir d'attirer à lui la Miséricorde de Dieu Très Haut. Mais par ce qu'il fait, lui, il se met en mesure de recevoir les souffles de la Miséricorde divine, et il ne lui reste plus qu'à attendre ce que Dieu Très Haut lui révélera de la Miséricorde, comme il l'a révélé, par cette voie, aux prophètes et aux saints.
>
> Alors, si la volonté [du soufi] a été sincère, son effort spirituel pur et sa persévérance parfaite; s'il n'a pas été entraîné en sens contraire par ses passions, ni préoccupé par l'inquiétude provenant de ses attaches au monde, les lueurs de la Vérité brilleront en son cœur. Ce sera au début comme l'éclair rapide qui ne demeure pas, puis qui revient mais tarde parfois. S'il revient, tantôt il demeure, et tantôt il ne fait que passer. S'il demeure, tantôt sa présence se prolonge et tantôt elle ne se prolonge pas. Et tantôt des illuminations semblables à la première apparaissent, se succédant les unes les autres; tantôt tout se réduit à un seul mode. Les «demeures» des saints de

10. Traduction libre d'un texte d'al-Ghazzali, cité dans *Mohammedanism,* H.A.R., Gibb, New York, Oxford Un. Pr., 1962, p. 151.

Dieu sont en cela innombrables, de même que sont innombrables les différences entre leurs naturels et leurs caractères[11].

C'est donc l'action divine qui, en dernière analyse, arrache le mystique à sa propre conscience; cette conviction fondamentale est aussi exprimée par al-Halladj:

Les états d'extase divine, c'est Dieu qui les provoque tout entiers,
quoique la sagacité des maîtres défaille à le comprendre.
L'extase, c'est une incitation, puis un regard [de Dieu]
qui croît et flambe dans les consciences.
Lorsque Dieu vient l'habiter ainsi, la conscience double d'acuité,
et trois phases alors s'offrent aux voyants:
Celle où la conscience est encore extérieure à l'essence de l'extase;
celle où elle devient spectatrice étonnée;
Celle où la ligature du sommet de la conscience s'opère —
elle se tourne alors vers une Face
dont le regard la ravit à tout autre spectacle[12].

Dans l'extase, la personnalité du mystique disparaît, s'«annihile» (*fana'*) transfigurée par Dieu en qui elle «subsiste» (*baqa'*), comme l'exprime al-Halladj:

Ton Esprit s'est peu à peu mêlé à mon esprit
faisant alterner rapprochements et délaissements.
Et maintenant je suis Toi-même,
Ton existence c'est la mienne, et c'est aussi mon vouloir.

Je suis devenu Celui que j'aime
Et Celui que j'aime est devenu moi!

---

11. Cité dans *Thèmes et textes mystiques, op. cit.,* p. 147-148.
12. Cité dans *Mystique musulmane, op. cit.,* p. 182-183.

Nous sommes deux esprits, infondus en un [seul] corps!
Aussi, me voir, c'est Le voir, et Le voir, c'est nous voir[13].

Sous l'emprise de l'extase, al-Halladj n'était pas toujours maître de ses mots; les expressions citées plus haut, et bien d'autres, pourraient laisser croire qu'al-Halladj s'identifiait à Dieu, comme on l'en a accusé. Mais d'autres formulations soulignent clairement la distance qui sépare encore la créature de son Créateur qui, au même moment, demeure à la fois proche et éloigné:

Il n'est plus pour moi d'éloignement de Toi,
depuis que j'ai constaté que rapprochement et éloignement [pour Toi]
ne font qu'un.
Pour moi, si je suis délaissé, c'est encore une société pour moi
que Ton délaissement;
d'ailleurs, comment ce délaissement s'opérerait-il,
puisque l'Amour fait trouver[14]!

J'ai étreint, de tout mon être, tout Ton amour, Ô ma Sainteté!
Tu me mets à nu, tellement, que je sens que c'est Toi en moi!

[...]

Ah! me voici, dans la prison de la vie, environné des humains;
arrache-moi donc vers Toi, hors de la prison[15]!

Entre moi et Toi, il y a un «c'est moi» qui me tourmente,
ah! enlève par Ton «c'est moi»,
mon «c'est moi» hors d'entre nous deux[16].

---

13. *Ibid.*, p. 117.
14. Cité dans *Thèmes et textes mystiques, op. cit.*, p. 136.
15. Cité dans *Mystique musulmane, op. cit.*, p. 117.
16. *Ibid.*, p. 108.

Revenu à la vie ordinaire, le mystique reste habité par l'Amour, et l'expérience qu'il a vécue devient une sorte de grille de lecture des réalités qui l'entourent:

> Ô Dieu, que le soleil soit à l'aurore ou au couchant,
> Ton amour adhère à mon souffle.
> M'isolant avec des amis pour causer,
> C'est de Toi que je leur parle.
> Te remémorant dans la tristesse ou la joie,
> C'est Toi, dans mon cœur, qui fais le lien de mes pensées.
> Quand je voulais m'abreuver pour étancher ma soif,
> C'est Toi dont je voyais l'ombre dans la coupe.
> Et si je pouvais aller à Toi, je T'arriverais,
> Rampant sur mon visage et marchant sur ma tête[17].

Bifurcation du soufisme

Al-Ghazzali (1058-1111) avait concilié et synthétisé en sa personne la pensée religieuse systématique («théologie») et la pratique de la voie mystique. Après lui, son influence se fera sentir selon les deux lignes distinctes dans lesquelles le soufisme poursuivra son développement. L'une de ces lignes, INTELLECTUELLE, aboutit à la mystique que l'on pourrait appeler métaphysique ou gnostique; l'autre, de tendance plus POPULAIRE, pratique et sociale, se concrétisa dans les confréries ou ordres mystiques (*tariqa*).

SOUFISME INTELLECTUEL. Comme on l'a vu, l'activité des philosophes, faute d'être reconnue pour elle-même, s'inséra en partie dans le mouvement soufi. Chez Ibn al-Arabi (1165-1240), l'influence de la philosophie néo-platonicienne aboutira à une sorte de «monisme» de l'être: dans l'union mystique, la distinction entre l'âme et Dieu, maintenue même par

---

17. Cité dans *Vivante Parole,* René BERTHIER, Limoges, Droguet et Ardant, 1967, p. 108.

al-Halladj, disparaîtra pratiquement. Par ailleurs, Ibn al-Arabi développera considérablement l'interprétation mystique du Coran, qui était déjà pratiquée par les soufis: cette «lecture» allégorique du Livre ne niait pas le sens extérieur et obvie (*zahir*) du texte sacré, mais elle voulait aller plus loin et en découvrir le sens caché (*batin*) que l'expérience mystique permettait d'y trouver.

L'expression poétique du soufisme, présente dès le VIIIe siècle, devint un genre littéraire à partir du XIe siècle. Dans cette poésie, le vocabulaire et les thèmes de la littérature profane sont transposés pour essayer de dire l'indicible de la relation entre l'âme et Dieu. Le thème de la liaison amoureuse et celui du vin sont particulièrement utilisés. Voici un extrait de cette poésie, écrite par l'Arabe Ibn al-Farid (1182-1235), surnommé «le sultan des amoureux»:

> Nous avons bu à la mémoire du Bien-Aimé un vin qui nous a enivrés
> avant la création de la vigne.
> Notre verre était la pleine lune; Lui, il est un soleil;
> un croissant le fait circuler.
> Que d'étoiles resplendissent quand il est mélangé.
> Sans son parfum, je n'aurais pas trouvé le chemin de ses tavernes.
> Sans son éclat, l'imagination ne le pourrait concevoir.
>
> [...]
>
> Son Verbe a préexisté éternellement à toutes choses existantes;
> mais elles le voilent avec sagesse à qui ne comprend pas.
> En Lui, mon esprit s'est éperdu
> de sorte qu'ils se sont mêlés tous deux intimement;
> Mais ce n'est pas un corps qui est entré dans un corps.
>
> [...]
>
> Avant ma puberté, j'ai connu son ivresse; elle sera encore en moi

quand mes os seront poussière.
Prends-le pur ce vin, — ou ne le mêle qu'à la salive du Bien-Aimé;
tout autre mélange serait coupable[18].

Le Persan Djalal al-Din al-Roumi (1207-1273), considéré comme un des plus grands poètes mystiques de l'histoire, se sert du même thème:

Le jeune homme est venu, de retour,
chez la bien-aimée.
Il frappa à la porte de la bien-aimée,
et une voix de l'intérieur demanda:
«Qui est là?»
Il répondit: «C'est moi.»
Mais la voix reprit:
«Cette maison ne nous contiendrait pas
toi et moi.»
Et la porte demeura close.

Alors, de nouveau, le jeune homme appela:
«Bien-aimée, c'est moi, ouvre, je suis là.»
Mais la porte resta fermée.

Alors l'amant se retira dans la forêt,
et pria, et jeûna dans la solitude.
Un an après, il s'en retourna
et frappa de nouveau à la porte,
et de nouveau la voix demanda:
«Qui est là?»
Et l'amant répondit alors:
«Bien-aimée, c'est TOI!»
Alors la porte s'ouvrit
pour lui donner passage[19].

---

18. Texte d'Ibn al-Farid cité dans *Mystique musulmane, op. cit.*, p. 61.
19. Texte cité dans *Vivante parole, op. cit.*, p. 352.

LES ORDRES SOUFIS (CONFRÉRIES). Le soufisme avait d'abord été le fait d'ascètes isolés, puis d'écoles regroupant un certain nombre de disciples autour d'un maître (*shaykh*), d'une façon souple ou plus ou moins organisée. À partir du XIe siècle, le mouvement populaire déclenché par le soufisme s'organisera en confréries ou ordres appelés *tariqa* (voie) ou encore *silsilah* («chaîne», pour souligner la continuité avec le fondateur de l'ordre). En très peu de temps, ces ordres se répandirent aux quatre coins du monde musulman.

La structure de la confrérie reposait fondamentalement sur la relation maître-disciple. Le *shaykh* était en général un homme pieux et de grand prestige; on en vint à lui attribuer des pouvoirs miraculeux et à le considérer comme un saint. Cela donna lieu à une controverse dans la Communauté, à savoir lequel, du prophète ou du saint, était le plus grand. Après sa mort, le *shaykh* demeurait l'objet d'une vénération croissante chez ses disciples. C'est ainsi que prit naissance le culte des saints et le pèlerinage à leurs tombeaux, pratiques que l'Islam officiel vit d'un mauvais œil mais fut impuissant à réprimer.

On institua une cérémonie d'initiation pour marquer l'entrée du disciple sous la direction du maître. La résidence du maître se transforma en «couvent» (*ribat*, en arabe; *khanqa* en persan) pour devenir le centre de la Communauté regroupant les «mendiants» (*faqir* en arabe; *darwish* en persan). Le disciple vivait en étroite relation avec le maître, jusqu'au moment où, ayant atteint les sommets de l'initiation mystique, il pouvait enseigner la voie (*tariqa*) de son maître, et à son tour devenir le fondateur d'un nouveau monastère.

Les ordres soufis devinrent non seulement une force religieuse, mais aussi une force sociale. Une sorte de tiers ordre englobait en effet des associations d'artisans regroupés, selon leur métier, autour de saints patrons. À certains moments, ces associations seront les seuls organismes assez articulés pour faire contrepoids au despotisme de certains gouvernants.

Les ordres soufis contribuèrent grandement à la diffusion de l'Islam. Mais le libéralisme qui faisait leur succès les amena petit à petit hors de l'orbite de l'expérience mystique initiale et assez loin de la lettre et même de l'esprit de l'Islam. La dégénération des ordres soufis contribua à l'ankylose que connut l'Islam au seuil de la période moderne. Cela explique le désintérêt et parfois l'agressivité que les musulmans modernes manifestent à l'égard du soufisme.

Le soufisme a pourtant été, pendant plus de cinq siècles, un relais majeur entre le Livre et des millions de croyants. Encore aujourd'hui, il représente la forme pratique de l'engagement religieux pour des groupes de croyants qui vivent hors des grands centres et n'ont pas été touchés sérieusement par la civilisation moderne et par le renouveau de l'Islam.

6

LA COMMUNAUTÉ MUSULMANE

L'Islam est, à son point de départ, un Livre et un Prophète. C'est aussi la collectivité des croyants qui porte ce Livre dans l'histoire. Nous avons vu dans les chapitres précédents de quelle manière la Communauté musulmane a lu le Livre et l'a traduit dans des doctrines et des institutions qui ont joué le rôle de relais (médiation) entre le Livre et le vécu historique des croyants. Nous allons maintenant examiner les traits concrets qui donnent à cette Communauté sa physionomie propre.

Le terme arabe que nous traduisons par «Communauté» est *Oumma.* La racine de ce mot est *oumm*, qui veut dire «mère». Pour les croyants, le terme *Oumma* signifie donc bien plus qu'une simple collectivité, il évoque le lien affectif qui existe entre tous ceux qui professent l'Islam, prient tournés vers La Mecque, croient au Livre, le Coran, ainsi qu'au Prophète Mohammed, et essaient de modeler leur vie sur l'enseignement et les prescriptions issus du Coran et de la Tradition du Prophète.

Unité et diversité

Ce qui caractérise globalement la Communauté musulmane telle qu'elle se présente à nous aujourd'hui, c'est l'unité fondamentale existant au sein d'une diversité assez grande.

À l'heure actuelle, on ne peut plus parler d'«empire musulman» ou de «bloc musulman». Ce qui existe concrètement, ce sont des personnes de cultures, de races et de classes sociales diverses, vivant dans des pays différents où elles sont soit en majorité, soit en minorité, soit dispersées. Sur le plan religieux, ces personnes ont, par rapport à l'Islam, des attitudes s'échelonnant de la ferveur enthousiaste au scepticisme désengagé, de l'observance stricte à l'acceptation conditionnelle et partielle, du conservatisme prudent au modernisme audacieux. Comme nous le verrons plus loin, la diversité, chez les musulmans, ne s'arrête pas là.

Cette même collectivité présente néanmoins des signes d'unité. Mais il ne faut pas chercher cette unité dans une superstructure internationale ayant pour fonction de représenter officiellement l'Islam, d'en définir et d'en préserver le contenu, ainsi que de guider et de contrôler les regroupements locaux et nationaux des croyants. En ce sens, il n'existe pas, en Islam, d'institution jouant le rôle autoritatif et organisationnel assumé par l'Église dans le christianisme.

Bien que l'unité de la Communauté musulmane se manifeste au niveau de la croyance, des pratiques rituelles, des coutumes et des fêtes, il faut d'abord insister sur un facteur d'unité moins apparent mais tout aussi opérant: le sentiment d'appartenance, qui consiste en une sorte d'identification subjective non localisée dans des institutions ou dans des pratiques extérieures, mais au cœur même de chaque musulman. Être musulman, ce n'est pas tant croire et pratiquer tel ou tel culte, c'est surtout s'identifier à un groupe d'individus du passé et du présent; c'est partager leurs aspirations religieuses, leurs réussites passées, leur effort actuel pour s'affirmer de nouveau dans l'histoire.

Le sentiment d'appartenance qu'a l'individu est relié à un instinct très profond de la Communauté: l'instinct de survie renforcé par la confiance en sa propre histoire perçue comme réalisation temporelle du Livre. Cet instinct a en quelque sorte joué le rôle de «magistère», autorité qui discerne ce qu'est l'Islam et ce qu'il n'est pas. Ce discernement n'est pas à la source d'une institution stable, mais d'un processus d'équilibration ou d'«assimilation graduelle de l'extrémisme en modération», selon l'expression de Fazlur Rahman[1]. Si la Communauté musulmane a développé une sorte d'«orthodoxie», c'est «en surveillant, en ajustant et en absorbant à l'intérieur d'elle-même ce qui y bouge[2] ». En ce sens, les musulmans se sont toujours montrés très réticents à «excommunier» un de leurs membres, à l'exclure de la Communauté en le déclarant «infidèle».

L'instinct de survie et d'adaptation de la Communauté apparaît assez clairement dans l'*idjma‘* (consensus); on a vu plus haut le rôle déterminant joué par ce principe dans la formation de la Loi et l'établissement de la Tradition. L'*idjma‘* reflète la confiance de la Communauté en sa propre évolution, en l'instinct qui la guide; c'est ainsi que la Tradition attribue au Prophète une parole justifiant le consensus: «Ma Communauté ne tombera jamais d'accord sur une erreur.» La conscience et la fierté d'appartenir à une telle Communauté sont, au niveau subjectif, des facteurs d'unité aussi importants que l'accomplissement effectif des gestes rituels qui caractérisent l'Islam.

Facteurs d'unité

Le sentiment d'appartenance, dont nous venons de souligner l'importance, est alimenté, en bonne partie, par l'adhésion à une doctrine et par l'observance de rites, de coutumes et de

---

1. Fazlur Rahman, *Islam*, Londres, Weidenfeld & Nicholson, 1966, p. 87.
2. *Ibid.*, p. 111.

fêtes islamiques. En ce qui concerne la doctrine, nous en avons déjà mentionné l'essentiel dans la présentation thématique du Coran: Dieu, les anges, l'homme, les prophètes, la vie future. On peut joindre à cela les précisions que les écoles théologiques ont apportées en réponse aux affirmations des mou'tazilites: le pouvoir d'Allah sur l'agir humain, le Coran incréé, la création de l'univers. Étant donné que la spéculation théologique a tenu une place relativement peu importante dans le développement de l'Islam, la simplicité de la doctrine coranique contribue encore grandement à l'unité de la Communauté musulmane: la foi des croyants est concentrée sur quelques vérités révélées et ne s'éparpille pas dans un dédale de formulations théologiques. On retrouve cette simplicité dans les pratiques rituelles établies par le Coran.

Les cinq piliers de l'Islam

Dans le chapitre concernant le Coran (chapitre 2), nous avons cité les cinq prescriptions fondamentales (*arkan,* «piliers») de l'Islam: la profession de foi (*shahada*), la prière (*salat*), le jeûne (*sawm*), l'aumône (*zakat*) et le pèlerinage à La Mecque (*hadjdj*). Voici quelques précisions au sujet de la prière, du jeûne et du pèlerinage.

La prière rituelle. Le premier devoir du musulman est de prier cinq fois par jour: à l'aube, au milieu du jour, dans l'après-midi, au coucher du soleil et le soir. La prière rituelle est un acte d'hommage et de louange à la Toute-Puissance d'Allah; elle n'implique pas l'idée de demande ou de lien personnel (intimité) entre l'homme et Dieu. Pour se mettre en état de pureté rituelle, celui qui va prier doit d'abord faire les ablutions prescrites. Le vendredi midi, la prière se fait à la mosquée (*masjid*: «lieu de prosternation») et elle est suivie d'un sermon. C'est la prière collective, l'«assemblée» de la semaine, l'acte par excellence de la Communauté, qui revêt une portée à la fois sociale et religieuse. Les croyants suivent alors les gestes de l'*imam* (celui qui dirige la prière), tournés vers La Mecque, dont la direction est marquée par la niche.

Aux autres moments de la semaine, la prière ne se fait pas à la mosquée, elle peut se faire à domicile ou dans tout autre endroit; il suffit que le fidèle se tourne vers la Mecque et «sacralise» (sépare du reste du monde) le lieu choisi en le délimitant par un tapis ou par une natte. Le rituel (gestes, paroles) de la prière est rigoureusement fixé et se déroule de la façon suivante: l'appel à la prière est fait par le *mo'ezzin* («celui qui fait l'appel»), du haut du minaret (tour de la mosquée), selon la formule arabe invariable:

> Allah est le plus grand (*Allahou akbar*). J'atteste qu'il n'y a pas de dieu en dehors d'Allah. J'atteste que Mohammed est l'Envoyé d'Allah. Venez à la prière. Venez au salut. Allah est le plus grand. Il n'y a pas de Dieu en dehors d'Allah.

La prière proprement dite comporte deux à quatre *rak'a* («séquence»), selon l'heure; chaque séquence comprend des gestes (voir illustration) et les paroles qui y correspondent.

Ce rituel connaît quelques variantes mineures qui caractérisent chaque école de Loi. Lorsque des femmes participent à la prière, elles se placent derrière les hommes pour éviter à ceux-ci toute distraction.

LE JEÛNE DU RAMADAN. Le neuvième mois (Ramadan) du calendrier musulman est consacré au jeûne. Le croyant doit s'abstenir de manger, de boire, de fumer et d'avoir des relations sexuelles entre l'aurore et le coucher du soleil. Ce jeûne a pour but de combattre les passions pour rapprocher l'âme de Dieu. Ainsi que nous l'avons signalé, il existe des dispenses possibles à ce jeûne.

LE PÈLERINAGE À LA MECQUE. Au moins une fois dans sa vie, le musulman qui le peut doit faire le pèlerinage à La Mecque (*hadjdj*). Cet événement a lieu le dernier mois du calendrier

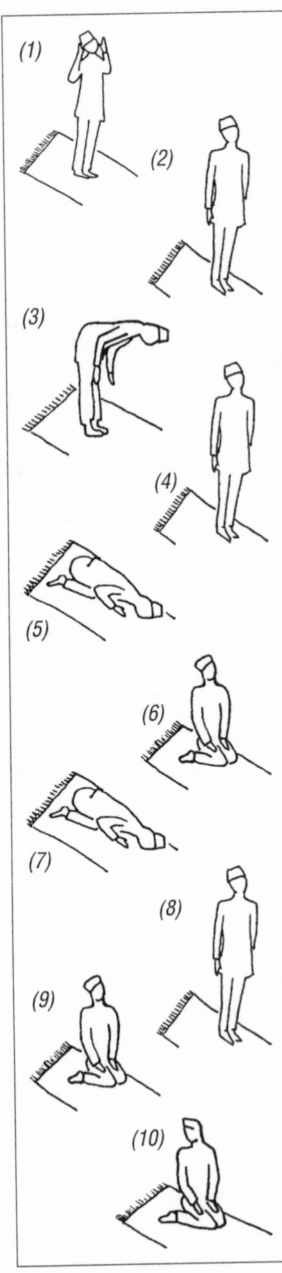

(1) La tête couverte, le fidèle prononce la parole de «sacralisation» («séparation du monde»): «Allah est le plus grand!»;

(2) il récite la sourate d'ouverture du Coran (*Fatiha*) (Cor. 1):

Au nom d'Allah, le Bienfaiteur Miséricordieux.
Louanges à Allah, Seigneur des mondes,
Bienfaiteur miséricordieux,
Maître du Jour du Jugement!
C'est toi que nous adorons,
Toi dont nous implorons l'aide!
Dirige-nous dans la Voie droite,
La Voie de ceux que tu as comblés de tes bienfaits,
qui ne sont ni l'objet de ta colère, ni les égarés.

(3) inclinaison;

(4) s'étant redressé, il dit: «Allah écoute celui qui le loue»;

(5) première prosternation: geste central de la prière;

(6) il s'assied sur ses talons et dit: «Mon Seigneur, pardonne-moi et aie pitié de moi»;

(7) deuxième prosternation;

(8) il se redresse;

(9) il s'assied sur ses talons et récite la profession de foi: «Il n'y a pas de dieu en dehors d'Allah», puis une prière sur le Prophète, par exemple: «La paix sur toi, ô Prophète, ainsi que la miséricorde d'Allah et ses bénédictions»;

(10) tournant la tête vers la droite et vers la gauche, il récite la formule de désacralisation («retour» au monde ambiant): «La paix sur vous ainsi que la miséricorde d'Allah!»

musulman. Les rites se répartissent en deux séries distinctes: l'*'Omra* et le *Hadjdj* proprement dit. L'*'Omra* correspond aux rites d'avant l'Islam: le pèlerin fait sept fois le tour de la *Ka'ba* (édifice rectangulaire contenant la «pierre noire[3]»), boit de l'eau du puits zemzem et fait sept fois le trajet entre la colline de Safa et celle de Marwa. L'*'Omra* peut également être accompli séparément, à n'importe quelle période de l'année. Il représente alors une manifestation de piété individuelle.

Alors que l'*'Omra* est centré sur la *Ka'ba,* le *Hadjdj* est centré sur le mont 'Arafa, voisin de La Mecque, et sur le personnage d'Abraham, dont le sacrifice, selon la Tradition musulmane, a eu lieu sur cette montagne. Ce pèlerinage comporte principalement les rites suivants, qui s'échelonnent sur une semaine: sermon près de la *Ka'ba;* au mont 'Arafa, c'est la cérémonie centrale du *hadjdj*, la «station debout», qui dure de midi jusqu'au coucher du soleil[4]; course vers Mozdalifa, prière, veillée; à Mina, lapidation d'une stèle, appelée «le grand démon», avec sept petits cailloux ramassés à Mozdalifa; sacrifice d'une victime (agneau, volaille); des sacrifices analogues, à travers le monde, associent l'ensemble des musulmans à la célébration de la «grande fête» (*'id al-kabir*); enfin, «sacrifice des chevelures», symbolisant l'offrande que le pèlerin fait de lui-même. Au retour, beaucoup de pèlerins se rendent à Médine pour vénérer le tombeau du Prophète.

Comme la prière, le pèlerinage remplit un rôle de médiation gestuelle entre le Livre et les croyants: se conformant aux prescriptions du Coran et du Prophète, le croyant exprime, en son corps comme en son cœur, son désir de «s'en remettre» (*Islam*) à Allah. Au cours du pèlerinage, le musulman éprouve

---

3. La «Pierre noire» est, pour la Tradition musulmane, une pierre d'origine céleste, jetée par Allah sur la terre comme gage du «pacte» entre Allah et la race d'Adam. Cf. *L'Islam, Religion et Communauté,* L. Gardet, Paris, Desclée, 1967, p. 129.

4. Selon Gaudefroy-Demombynes, cité par L. Gardet, *op. cit.,* p. 130: «C'est le rite ancien de tous les cultes sémitiques: le fidèle reste debout devant Dieu, puis s'éloigne d'une marche rapide et se rend à un autre sanctuaire.»

très vivement un sentiment d'appartenance, ainsi que le sentiment de la force et de l'unité de l'Islam. Le sentiment d'égalité entre tous les hommes est également très vif; il est symbolisé par la simple tunique blanche que portent indifféremment les pèlerins, qu'ils soient riches ou pauvres, blancs ou noirs. À la suite de l'expérience vécue lors de ce pèlerinage, Malcolm X, le leader musulman noir (*Black Muslim*) devait changer considérablement ses vues radicales au sujet des relations entre Noirs et Blancs.

Autres rites et coutumes

L'Islam interdit la consommation de la viande de porc, des boissons alcooliques et des stupéfiants. Bien que l'interdiction de représenter par des images les êtres vivants ne soit pas mentionnée dans le Coran, elle s'est affirmée assez tôt en Islam: la création d'images représentant des êtres animés présentait des dangers d'idolâtrie et semblait concurrencer la Puissance d'Allah, qui seul a le pouvoir de créer des être vivants. Mais cette règle n'a pas toujours été suivie, comme en témoignent les exquises miniatures persanes, turques et mogholes. Pour la femme, le port du voile (*pordah*), recommandé par le Coran (Cor. 24:31, 60; 33:53, 59), tend de plus en plus à disparaître; on le voit toutefois refaire surface en certains endroits dans le sillage du «renouveau islamique».

Issu du soufisme, le culte des saints s'est répandu rapidement parmi les classes populaires, et l'Islam «orthodoxe», impuissant à le réprimer, a dû se résoudre à l'admettre. Les saints sont souvent des fondateurs d'ordres soufis, des «docteurs» de la Loi réputés pour leur piété. On leur attribue un pouvoir surnaturel (*baraka*), qui donne l'espoir d'un miracle à ceux qui demandent leur aide. Le Prophète lui-même fut placé au premier rang des saints. On vénère leur tombeau et on y célèbre l'anniversaire de leur naissance. Ces pratiques ont souvent permis d'intégrer des traditions religieuses locales, comme ce fut le cas en Inde, où certains saints sont vénérés à la fois par les hindous et par les musulmans. Par ailleurs, le culte des saints a souvent tourné à la superstition et à la magie, ce qui en a fait la cible fréquente des réformateurs, surtout pendant la période moderne.

Les moments les plus importants de la vie du musulman sont accompagnés de certaines pratiques traditionnelles ayant un fond commun transcendant les particularités issues des coutumes locales. La naissance est marquée par la cérémonie du *tasmiya* (imposition du nom). Avant de lui donner un nom, on souffle à l'oreille du nouveau-né la formule d'appel à la prière, car déjà il est musulman, puisque dans l'optique musulmane, tout homme naît musulman; c'est l'éducation du milieu qui fait de certains hommes des chrétiens, des bouddhistes, etc. On coupe une mèche de cheveux à l'enfant (ancien rite de purification), et on offre une victime en sacrifice. Puis on distribue des cadeaux et convie les invités à des repas. La circoncision, non mentionnée par le Coran, est prescrite par la Tradition et s'effectue soit le septième jour, soit à sept ans.

Le mariage musulman se déroule en deux étapes, parfois assez éloignées l'une de l'autre. Après les pourparlers entre les parents, le contrat est établi. Le mari verse la dot, on constate le consentement des conjoints (pour la femme, c'est un tuteur qui pose officiellement ce geste) et on récite le premier chapitre du Coran. Ensuite on fête l'événement. Quant à la célébration principale, elle a lieu quelques jours plus tard, lorsque la fiancée, ayant reçu la visite du fiancé et de son cortège, va à son tour à la maison de son promis, en grand apparat et accompagnée d'un cortège imposant et joyeux. Après des cérémonies destinées à conjurer les influences néfastes, a lieu le repas de noces. Les fêtes qui entourent la cérémonie du mariage peuvent s'étaler sur plusieurs jours; leur durée dépend des moyens de la famille, mais ces moyens ne sont pas toujours pris en compte, tant les familles désirent entourer l'événement d'un certain faste.

Lorsqu'un croyant arrive à l'heure de la mort, la Loi veut que la profession de foi soit récitée à son chevet. Les lamentations des femmes feront ensuite connaître le décès aux voisins. Puis, le corps ayant été lavé, commence la récitation de certains passages du Coran, notamment la sourate 36, dont les versets 12 et 48-65 parlent de la résurrection des morts, de la récompense ou de la punition qui suivra le Jour du Jugement. Le cortège funèbre s'arrête habituellement à la mosquée, où l'on prie avant de se rendre au cimetière. Le corps du défunt est enveloppé d'une pièce d'étoffe non cousue, et couché sur le côté droit, la tête tournée vers La Mecque.

Les fêtes

Les deux fêtes majeures du monde musulman sont l' *'id al-Fitr,* ou «Petite fête», et *l''Id al-Adha,* ou «Grande Fête». La «Petite fête» marque la fin du jeûne du Ramadan; elle est célébrée avec plus d'éclat que la «Grande Fête». Dans les rues, la fierté et la joie se lisent sur le visage des croyants. Ceux-ci portent leurs plus beaux vêtements, souvent neufs; ils se donnent l'accolade au sortir de la mosquée. On échange aussi des friandises et des cartes de souhait.

La «Grande Fête» a lieu soixante-dix jours plus tard, au moment où, comme nous l'avons indiqué plus haut, les pèlerins offrent une victime en sacrifice. Les familles musulmanes s'associent à ce rite et choisissent la victime en fonction de leurs moyens. C'est l'occasion d'un échange de cadeaux, de visites et de repas de fête.

Outre ces deux grandes solennités, admises et célébrées par tous, on fête également l'anniversaire de la naissance du Prophète et de certains saints. Malgré les réticences dont nous avons déjà parlé, l'anniversaire du Prophète est aujourd'hui une fête à caractère officiel dans la plupart des pays musulmans. On y récite des pièces littéraires spéciales, ainsi que le Coran en entier. Des processions ont lieu et des aumônes sont distribuées.

D'autres célébrations commémorent certains faits spirituels reliés au Coran ou à la vie du Prophète. Ainsi, le mois du Ramadan a été choisi pour le jeûne parce que c'est le mois «durant lequel la Révélation est descendue comme Direction pour les hommes» (Cor. 2:185); la 26e ou 27e nuit de ce mois est une sorte de fête du Coran car la Tradition y voit la «nuit du Décret, de la Destinée» évoquée par la sourate 97 du Coran:

> Nous avons fait descendre [le Coran]
> durant la Nuit du Décret.
>
> Comment pourrais-tu savoir
> ce qu'est la Nuit du Décret?
>
> La Nuit du Décret vaut mieux que mille mois!
> Les Anges et l'Esprit y descendent
> avec la permission de leur Seigneur,
> pour régler toute chose.
>
> Elle est Paix et Salut (*salam)*
> jusqu'au lever de l'aube.

Pendant cette «Nuit bénie» (Cor. 44:3), les croyants s'adonnent à des pratiques de dévotion et de bienfaisance. Une autre nuit, la 27e du 7e mois, commémore l'«ascension» ou le «voyage nocturne» de Mohammed au ciel. Elle est célébrée à peu près de la même façon que l'anniversaire de la naissance du Prophète. Selon la croyance populaire, au cours d'une nuit, vers la moitié du 8e mois, Allah détermine le sort des humains pour l'année suivante. Dans certains pays, on commémore les défunts pendant ce mois ou une partie de ce mois.

Parmi les facteurs d'unité de la Communauté musulmane, il faut également mentionner des institutions comme la mosquée (*masjid*), l'école ou le collège (*madrasa*), ainsi que la théorie de l'État et des pouvoirs dans la «Cité musulmane». Nous examinerons au chapitre 7 certains aspects de ces sujets, qui émergent au cours de la période moderne[5].

---

5. Pour une analyse de ces questions, voir l'excellent ouvrage de L. Gardet, *La Cité mulsulmane: vie sociale et politique,* Paris, Vrin, 1961, ou, du même auteur, *L'Islam, Religion et Communauté,* Paris, Desclée, 1967, p. 273-299.

Facteurs de diversité

L'unité de la Communauté musulmane n'est pas monolithique; elle ne supprime pas une certaine diversité qui se manifeste, d'une part, dans l'existence de sectes, d'autre part dans les visages variés qu'a pris l'Islam selon les milieux culturels et nationaux où il s'est implanté.

Les sectes

Les tensions qui entourèrent la succession du Prophète dégénérèrent en querelles politiques, puis en guerre ouverte à la mort du troisième calife. Ce dernier, 'Othman, appartenait au clan mecquois des Omayyades. Il mourut assassiné en 656. 'Ali, gendre de Mohammed, lui succéda, mais il rencontra la résistance de l'Omayyade Mo'awiya, cousin d''Othman et gouverneur de Syrie.

Les deux partis s'affrontèrent à la bataille de Siffin (657). 'Ali était sur le point de l'emporter quand Mo'awiya demanda que l'on aie recours à l'arbitrage pour décider qui devait, légitimement, devenir calife. 'Ali accepta l'arbitrage, mais un groupe de ses partisans, n'admettant pas cette procédure, se retira. À l'issue de l'arbitrage, 'Ali fut déposé, mais ses partisans continuèrent à le considérer comme le calife légitime.

La Communauté musulmane se scindait donc en trois groupes qui, à l'époque, ne se distinguaient que par leur allégeance politique: la majorité (à l'heure actuelle 90% des musulmans), qui appuyait Mo'awiya, constituera l'Islam sunnite, auquel se réfère d'abord ce que nous avons dit de l'Islam jusqu'ici. Les musulmans fidèles à 'Ali formeront le «parti» (*Shi'a*) d''Ali et s'appelleront Shi'ites (actuellement un peu moins de 10% des musulmans).

Le troisième groupe, ceux qui se retirèrent, sont les kharijites («les sortants»). Ils se divisèrent en plusieurs sectes dont la principale, les ibadites, subsiste encore chez quelques groupes d'Afrique du Nord, de Tanzanie et de l'Oman (Arabie).

En politique, ils prônent un califat électif confié au croyant le plus digne. Sur le plan doctrinal et moral, ils sont littéralistes et rigoristes.

LE SHI'ISME. Le shi'isme était à ses débuts un parti politique arabe. Il devint bientôt un mouvement religieux qui exprimait, sur le plan de la religion, le mécontentement social des nouveaux convertis — surtout en Perse — vis-à-vis de la classe dominante arabe. L'histoire allait amener les shi'ites à traduire le Livre dans des relais quelque peu différents de ceux mis en place par les sunnites. Ces différences se cristallisent principalement sur trois points: le principe de l'imamat, l'idée du messianisme et la notion de Passion (souffrance rédemptrice).

À la fois politique et religieux, le principe de l'imamat réserve à 'Ali et à ses descendants le droit de diriger la Communauté musulmane. Ce dirigeant, l'*imam*[6], détient des connaissances secrètes que Mohammed aurait transmises à 'Ali et que ses successeurs, les *imam*, se transmettent les uns aux autres. Avec le temps, les shi'ites en vinrent à placer 'Ali audessus du Prophète et à considérer les *imam* comme porteurs d'une lumière divine qui les rend impeccables et infaillibles.

La croyance aux *imam*, sixième pilier de l'Islam pour les shi'ites, fut alliée au personnage du *Mahdi*, guide ultime de la Communauté, dont tous les musulmans attendent la venue à la fin des temps. Pour les shi'ites, ce *Mahdi* est le dernier dans la série des *imam* reconnus. Lorsqu'il mourut, cet *imam* quitta seulement le monde visible. Actuellement «caché», il réapparaîtra un jour pour instaurer triomphalement une ère de justice et de paix préparant le Jugement. Dans l'intervalle, la Communauté est guidée par des «docteurs» qui sont les portevoix de «l'*imam* caché». Comme ces docteurs mettent l'accent sur l'*idjtihad* (recherche personnelle), le shi'isme présente normalement une assez grande souplesse d'adaptation.

6. Chez les sunnites, le terme *imam* désigne simplement celui qui dirige la prière.

Sous le califat des Abbassides, le shi'isme devint le point de ralliement des opprimés et des économiquement faibles. C'est alors que s'ajouta la notion de Passion. Dans l'optique shi'ite, le monde corrompu souffre dans l'attente du *Mahdi*: la Passion de l'*Imam*, unie à celle d''Ali et de son fils Hoseyn (tous deux assassinés), soutient la souffrance des fidèles et la rend précieuse. C'est pourquoi les shi'ites vénèrent particulièrement la tombe d''Ali et celle de Hoseyn. Chaque année, ils commémorent l'assassinat de Hoseyn par dix jours de deuil; à cette occasion, les fidèles pleurent, participent à des processions de pénitence (flagellation) et, dans certaines régions de l'Iran et de l'Inde, jouent la Passion (*ta'ziya*), jeu pour lequel ils empruntent certains personnages à la Bible.

Le shi'isme s'est ramifié en plusieurs sectes, dont les deux principales sont aujourd'hui les imamites et les ismaéliens. Ce qui les différenciait au départ, c'était le nombre des *imam* légitimes qu'ils reconnaissaient: douze pour les imamites, sept pour les ismaéliens. L'ismaélisme devait par la suite développer une doctrine fortement marquée par les idées néo-platoniciennes. Le shi'isme imamite est actuellement la religion d'État en Iran, et il est principalement répandu en Inde, en Irak et en Syrie. On trouve actuellement des groupes d'ismaéliens au Liban, en Syrie, en Iran, en Asie centrale, en Afghanistan, en Inde, au Pakistan et dans certaines régions d'Afrique; ils ont pour chef actuel l'Aga Khan, dont les œuvres philanthropiques sont bien connues.

Au cours de l'histoire, sunnisme et shi'isme ont eu une profonde influence l'un sur l'autre, souvent par une sorte de compénétration, surtout au niveau du soufisme. On fausserait la réalité en pensant que la relation sunnisme-shi'isme en Islam est analogue à la relation catholicisme-protestantisme chez les chrétiens. Contrairement au protestantisme, le shi'isme n'est pas une branche tardive se détachant d'une Tradition majoritaire établie depuis des siècles: comme on l'a vu, le shi'isme est né très tôt en Islam, et son développement est antérieur à l'émergence de l'«orthodoxie» sunnite. En fait, le fossé entre sunnites et shi‘ites n'est pas aussi large qu'on le croit souvent.

LES SECTES RÉCENTES. Au XIXe siècle, l'Islam vit surgir trois sectes largement syncrétistes: le mouvement *Ahmadiyya* en Inde, le babisme et le baha'isme en Iran. Plus récemment, l'Islam s'est répandu d'une façon assez étonnante chez les Noirs américains, les *Black Muslims* (Musulmans noirs).

Le mouvement *AHMADIYYA* fut fondé en Inde par Ghulam Ahmed (1839-1908), qui disait recevoir des révélations directes d'Allah et prétendait accomplir des miracles. Ses adeptes le considèrent comme un prophète. Ils professent également un culte pour Jésus qui, selon eux, n'aurait pas été crucifié et serait mort à Srinagar (Inde). Dans l'enseignement et le mode de vie des *Ahmadiyya* on retrouve des influences hindoues, par le biais d'un soufisme tardif, ainsi que des influences de l'Occident moderne. À l'étranger, les *Ahmadiyya* sont surtout connus à travers un groupe minoritaire, l'*Ahmadiyya Anjuman.* Ce mouvement a un caractère missionnaire très accentué et a fait des convertis dans plusieurs pays d'Asie, d'Europe et d'Amérique.

D'origine shi‘ite, le BABISME s'est présenté comme une religion nouvelle lorsqu'en 1844, Mirza ‘Ali Mohammed s'est proclamé *Bab,* c'est-à-dire la «porte» ouvrant sur des connaissances divines. En prônant des réformes sociales et en accentuant la spéculation mystique, le babisme rallia les attentes mahdistes (messianiques). Devant le succès de cette propagande, le gouvernement iranien intervint, écrasa la résistance babiste, fusilla Mizra ‘Ali et réprima le mouvement, dont l'influence disparut graduellement.

Une nouvelle secte issue du babisme commença néanmoins à se répandre dès 1863: le BAHA'ISME, fondé par Baha' Allah («Splendeur d'Allah»). Se disant annoncé et envoyé par le *Bab,* Baha' Allah avait pour tâche de fondre toutes les religions anciennes en une religion universelle sans rites, sans hiérarchie, s'articulant sur l'amitié et l'égalité, réconciliant tout et tous dans l'amour de Dieu. Par la suite, le baha'isme intégra de plus en plus d'idées humanitaires modernes. Ce mouvement, dont le centre est maintenant à Ha'ifa (Israël) a continué à se répandre jusqu'en Afrique, en Europe et en Amérique. C'est une religion bien distincte de l'Islam, avec lequel il n'a pratiquement plus rien à voir.

L'origine des *Black Muslims* américains remonte à l'activité de W.D. Fard, un mystérieux colporteur qui fit son apparition dans un ghetto noir de Détroit au courant de l'été 1930. On ne sait pas encore exactement qui il était ni d'où il venait. Cet homme, qui connaissait la Bible, s'en servit pour amener petit à petit les Noirs à prendre conscience de la «religion de l'Homme Noir», qui n'est pas le christianisme mais l'Islam. L'Islam que prêchait Fard s'inspirait du Coran, mais, sur au moins un point tout à fait fondamental, cet homme aboutissait à des positions contraires à l'esprit de l'Islam: à l'aide de récits mythiques saisissants, il présentait Allah comme l'Homme Noir par excellence, irréductiblement opposé au diable, qui était selon lui l'homme blanc, issu d'une honteuse dégénérescence biologique provoquée il y a 6600 ans par un savant noir en rébellion contre Allah.

Le prophète Fard disparut en 1934 aussi mystérieusement qu'il était venu. Il eut pour successeur un Noir américain, Elijah Mohammed. C'est sous la conduite de ce dernier que les *Black Muslims* prirent leur phénoménal essor, malgré des tensions et des divisions à l'intérieur du mouvement. Au cours des années 1950, et surtout 1960, le mouvement est devenu, pour les Noirs américains, l'expression religieuse de la reconquête d'identité opérée par des militants noirs de diverses tendances. Par sa doctrine de la séparation irréductible des Noirs et des Blancs, Elijah Mohammed rencontrait les aspirations de militants noirs comme Malcolm X.

Pendant les années 1960 toutefois, Elijah Mohammed et Malcolm X amorcèrent un rapprochement avec la Communauté musulmane internationale, ce qui amena un certain assouplissement dans les conceptions radicales des *Black*

Muslims. Sur le plan doctrinal, un certain réalignement semble s'être réalisé: des «ministres» des *Black Muslims* ont été accueillis dans des universités musulmanes prestigieuses comme al-Azhar, au Caire, afin d'y faire des études. Des groupes de «Musulmans noirs» ont fondé des communes rurales, remettant ainsi en cause l'étiquette de violence et d'agitation que l'opinion publique américaine accolait souvent aux *Black Muslims*[7].

Cultures et nations

Pour le Coran, «les croyants sont frères» (Cor. 49:10). Selon la Tradition, le Prophète a dit: «Les hommes sont égaux entre eux comme les dents du peigne du tisserand. Pas de différence entre le Blanc et le Noir, entre l'Arabe et le non-Arabe, si ce n'est leur degré de piété.» Sur ce fond d'égalité et d'universalisme se détachent distinctement les empreintes culturelles et religieuses données à l'Islam par les divers peuples et nations qui l'ont adopté.

Dans son développement interne et sa diffusion au Moyen Âge, l'Islam a été en quelque sorte porté par la vitalité des divers peuples qui se sont relayés afin de relancer l'élan initial donné par les Arabes. De façon générale, la simplicité de l'Islam le rendait compatible avec la culture et avec bien des coutumes propres à ces peuples. Ainsi, la Communauté musulmane a aujourd'hui des visages divers, selon les groupes ethniques ou culturels dans lesquels on l'observe. Cette souplesse d'acculturation, cette possibilité d'incarner le Livre dans diverses cultures est un des facteurs qui explique, par exemple, les succès actuels de l'Islam en Afrique noire.

La montée des nationalismes au XXe siècle et le principe des États nationaux ont accentué la diversité de la Commu-

---

7. Bien qu'ils datent déjà en ce qui concerne l'évolution actuelle du mouvement des *Black Muslims,* deux livres sont à signaler: *The Black Muslims in America,* de C. Eric Lincoln, Boston, Beacon Press, 1961; et *When the Word is given...,* de Louis E. Lomax, Cleveland, World Pub. Co., 1963.

nauté musulmane. Sur le plan politique, malgré des tentatives de regroupement, les pays musulmans présentent une grande variété, tant dans leurs régimes internes (républiques, monarchies, démocraties populaires, etc.) que dans leur alignement plus ou moins prononcé par rapport à l'un des grands blocs politiques mondiaux (USA, Russie, Chine). Sur le plan économique, la diversité n'est pas moins grande, même si la plupart des pays musulmans appartiennent au Tiers Monde; les «pays du pétrole», par exemple, ont un pouvoir économique et monétaire qui contraste avec la condition du Bangladesh.

À notre avis, la diversité actuelle de la Communauté musulmane relève plus de facteurs culturels et nationaux que de l'existence des sectes. Le chapitre qui suit précisera sans doute cette affirmation en considérant l'évolution de l'Islam dans le monde moderne: à des défis fondamentalement communs, diverses réponses seront apportées par les pays musulmans, reflétant à la fois leur identité propre en tant que nations et leur commune allégeance à l'Islam.

7

ISLAM ET MONDE MODERNE

En retraçant le développement de l'Islam au Moyen Âge, les chapitres précédents ont montré de quelle manière la vitalité de la Communauté musulmane avait établi des relais, des ponts entre le Livre et le vécu des croyants. Dès la fin du XVIIIe siècle, ce système de relais était remis en cause, à la fois de l'intérieur et de l'extérieur de l'Islam.

Sur le plan interne, la créativité intense qui avait assuré l'essor et l'apogée de l'Islam médiéval succomba graduellement à son propre succès: à la longue, la stabilité acquise à grand prix se transforma en stagnation et en déclin, tant au point de vue politique et social qu'au point de vue religieux. De l'intérieur même de l'Islam, des forces vives amorcèrent une sorte de réveil remettant en question la synthèse médiévale: les mouvements de réforme prémodernistes.

Sur le plan externe, les pays européens avaient effectué un rattrapage et devançaient maintenant la civilisation musulmane, qui avait nettement marqué le pas au Moyen Âge.

Profitant du déclin interne de l'Islam, l'expansion des puissances européennes vint bouleverser l'équilibre déjà chancelant de la société et de la pensée musulmane.

Mise au défi, de l'intérieur comme de l'extérieur, la Communauté porteuse du Coran allait réaffirmer sa foi au Livre et le «relire» en s'efforçant de le mettre en relation avec un vécu historique nouveau.

Contexte historique et psychologique

Le déclin interne de la civilisation musulmane est un fait très complexe, et nous ne pouvons en mentionner ici que certains facteurs: stagnation intellectuelle de la pensée islamique «orthodoxe», déviations du soufisme décadent, morcellement politique, laxisme moral, effritement des structures sociales, ralentissement économique. Quelque chose ne tournait pas rond en Islam, et les musulmans ne furent pas les seuls à s'en apercevoir...

Mainmise coloniale

La mainmise européenne sur les empires musulmans n'a pas commencé par des expéditions militaires. Elle a débuté, de manière beaucoup plus subtile, par des relations commerciales. Pour garantir ces relations et la sécurité des marchands européens, les gouvernants musulmans furent amenés à signer des ententes (appelées «Capitulations») octroyant des privilèges commerciaux. Bientôt, ces ententes débordèrent du domaine du commerce et englobèrent les droits des minorités chrétiennes en terre musulmane, ainsi que les combinaisons politiques internationales.

Dans certains cas, l'intervention militaire européenne prit avantage de l'impuissance des sultans musulmans à assurer la sécurité et à satisfaire les exigences croissantes des missions commerciales européennes. Dans d'autres cas, les pays musulmans obtinrent, en échange de concessions commerciales, l'assistance d'experts européens dans la modernisation de leur armée et de leur organisation administrative. Par ce biais, les pays européens pouvaient exercer leur influence, sur les plans intérieur et extérieur, en opposant un groupe musulman à un autre, par exemple les Arabes par rapport au sultanat ottoman des Turcs. Tout au long de ce processus, la rivalité des pays européens entre eux amena ceux-ci à conquérir directement, par les armes, des territoires musulmans qui éveillaient leur convoitise économique.

À la suite de ce jeu de forces ponctué de traités grâce auxquels les «grands» de l'Europe se partageaient périodiquement le reste du monde, presque tous les pays musulmans se retrouvèrent, au début du XXe siècle, sous la domination plus ou moins directe des pays européens.

Décolonisation

Les efforts des pays musulmans pour secouer le joug européen et l'affaiblissement de l'Europe à la suite des deux guerres mondiales (1914-1918 et 1939-1945) amenèrent petit à petit la décolonisation politique des pays musulmans.

Dans les années qui suivirent la guerre 14-18, la Turquie se transforma en profondeur. Le gouvernement révolutionnaire de Mustafa Kemal (Ataturk), en recouvrant certains territoires, obtint l'abolition des Capitulations. Il abolit le califat (1924) et la Turquie devint une république séculière dans laquelle l'Islam n'était plus religion d'État mais affaire privée. Pendant ce temps, l'Iran, modernisé par le Shah Reza Pahlevi, mettait fin lui aussi aux Capitulations.

La guerre 39-45 accentua le nationalisme des pays musulmans, ce qui déboucha sur l'indépendance politique de divers États: Syrie et Liban (1941); Transjordanie (1946) agrandie en Jordanie (1949); Pakistan (résultat des efforts de la *Muslim League* en Inde, 1947); Indonésie (1945-49); Lybie (1952); Soudan, Tunisie et Maroc (1956); et, en Afrique noire, divers États issus de l'ancien empire français (1958-60).

L'Égypte avait obtenu l'abolition théorique du protectorat anglais (1922) et la suppression des Capitulations (1937). Visant ensuite à une pleine indépendance économique et politique, elle fit évacuer la zone du canal de Suez et nationalisa la Compagnie du canal (1956). De leur côté, l'Irak (indépendant en 1932) et l'Iran faisaient évacuer leur territoire, occupé pendant la guerre par les troupes alliées. En Algérie, le soulèvement déclenché en 1956 mena ce pays à l'indépendance (1962).

Sur le plan politique, l'ère coloniale était terminée. Mais sur les plans économique, social et religieux, les effets du colonialisme se faisaient encore lourdement sentir dans la plupart des pays musulmans. Souvent très dépendants sur le plan économique, ceux-ci essayaient généralement d'équilibrer leurs relations avec les trois grandes puissances (U.S.A., Russie et Chine) de manière à ne pas se trouver à la remorque exclusive de l'une ou de l'autre.

Contexte psychologique

L'expansion coloniale européenne marqua profondément l'évolution de l'Islam au cours de la période moderne. Confronté à la pensée et aux institutions de l'Occident moderne, l'Islam éprouvait beaucoup de difficulté à se ressaisir et à se situer dans ce monde nouveau. Ce n'était pas la première fois que l'Islam rencontrait sur sa route une pensée et des institutions nouvelles et étrangères: dans les premiers siècles de son histoire, la Communauté musulmane avait fait preuve d'une remarquable capacité d'assimilation et d'intégration devant des situations nouvelles. Mais, aux XIXe et XXe siècles, le contexte psychologique n'était plus le même, et cela à un double point de vue.

Au point de vue externe, les musulmans étaient vainqueurs, en position de commande, lorsqu'ils avaient rencontré les civilisations hellénistique et perse. Maîtres de la situation, ils jugeaient eux-mêmes de ce qui était bon pour eux et choisissaient, parmi ce qui leur était offert, les éléments qu'ils pouvaient relier au Livre. À la période moderne, la situation n'était plus la même. Encore sous le choc psychologique causé par l'expansion du pouvoir politique européen, les pays musulmans virent leur structure économique et sociale bouleversée par cette intrusion; ce n'était plus eux qui avaient l'initiative, c'étaient des étrangers qui déterminaient ce qu'ils croyaient être bon pour les musulmans[1] et l'imposaient d'une façon plutôt cavalière, pour dire le moins. Présentées de cette manière, les idées et les institutions modernes avaient de quoi déclencher chez les musulmans des mécanismes de défense et même un certain blocage à ce qui venait de l'Occident.

Au point de vue interne, l'Islam n'était évidemment plus au XVIIIe siècle ce qu'il était à ses débuts. N'ayant pas de tradition intellectuelle développée et bien ancrée, les premiers musulmans pouvaient se permettre d'accueillir des apports étrangers dans le but d'ajouter à leur héritage sans avoir pour autant l'impression de renier leur identité. Mais, après plus de dix siècles d'histoire, l'héritage de la Communauté musulmane ne semblait plus avoir besoin d'être accru: pour le croyant, abandonner des éléments de cet héritage au profit d'apports étrangers signifiait s'amputer d'une partie de lui-même et de son identité. Cette remarque s'applique également à la résistance rencontrée par les mouvements de réforme interne, que nous allons maintenant considérer.

Mouvements de réforme prémodernistes

On est souvent tenté de considérer la période moderne de l'Islam comme étant essentiellement l'histoire de l'impact occidental sur la société musulmane conçue comme une masse plus ou moins passive. La montée de mouvements de réforme contredit cette idée et prouve que la Communauté musulmane

1. On sait que le «bien des colonisés» n'était pas la préoccupation majeure des colonisateurs, qui servaient d'abord leurs propres intérêts.

portait à l'intérieur d'elle-même des forces d'autocritique et de renouveau.

Le wahhabisme

L'irruption la plus violente de ces forces se produisit en Arabie lorsque, vers 1744, Mohammed 'Abd al-Wahhab lança une campagne de purification poussant à l'extrême la tendance rigoriste de l'école de Loi hanbalite. Dirigé d'abord contre le laxisme moral et la corruption de la religion, le mouvement wahhabite condamna comme hérétique le culte des saints et les autres «innovations» soufies et finit par s'attaquer aux trois autres écoles de Loi pour leurs compromis avec le soufisme. Dans leur zèle en vue de rétablir la pureté primitive de la foi islamique, les wahhabites prirent les armes contre les provinces voisines. Sur le plan politique, leur succès fut d'assez courte durée, mais leur influence religieuse devait être très marquante.

Le wahhabisme condamnait l'acceptation aveugle de l'autorité traditionnelle et s'opposait ainsi aux *'Oulama*, pour qui le système médiéval était devenu le dernier mot en matière religieuse. En conséquence, les wahhabites insistaient sur le droit à l'*idjtihad* (recherche personnelle) et ne reconnaissaient que deux autorités: le Coran et la *Sunna* (coutume) du Prophète.

Mouvements indiens

En Inde, un programme de réforme, quelque peu antérieur au wahhabisme en Arabie, fut formulé par Shah Wali Allah, de Delhi (1702-1762). Sans le faire de façon systématique et ordonnée, celui-ci présentait «l'Islam intégral» sur une base beaucoup plus large que la «théologie» traditionnelle. Dans ce système, on trouvait une doctrine islamique de la justice sociale et économique, couronnée par une vision soufie du monde.

Un disciple de Shah Wali Allah, Ahmed Barelawi (1782-1831), accentua fortement deux aspects de l'enseignement de son maître: la purification de la religion par le rejet de croyances et de pratiques jugées non islamiques, et le retour aux enseignements primitifs de l'Islam. Le mouvement de réforme fut ainsi infléchi dans un sens qui ressemblait au wahhabisme arabe: au rejet des quatre écoles de Loi comme autorité se joignait un activisme religieux et socio-politique qui allait dégénérer en *djihad* (pris ici au sens de «Guerre sainte») armée contre les sikhs et le pouvoir britannique. D'autres mouvements de réforme virent aussi le jour en Inde: par certains côtés, ils s'apparentaient au wahhabisme dans la mesure où ils voulaient rompre avec le passé médiéval pour retrouver l'Islam originel, et prônaient des réformes socio-économiques.

Mouvements nord-africains

Dans les mouvements de réforme indiens, on trouvait une dose de néo-soufisme, c'est-à-dire de soufisme réformé selon des lignes «orthodoxes» et interprété dans un sens activiste. Ce néo-soufisme s'est affirmé encore plus clairement en Afrique du Nord dans la formation de congrégations réformistes missionnaires, organisées sur le modèle des ordres soufis (*tariqa*).

En Afrique du Nord, le mouvement néo-soufiste doit son origine au Marocain Ahmed Ibn Idris (mort en 1837). Rejetant l'idée d'une union à Dieu, il y substitua l'union mystique avec l'esprit du Prophète comme but de la vie mystique. Il recommanda un certain nombre de prières correspondant au *dhikr* (répétition d'une invocation) des soufis. N'admettant pas l'*idjma'* (consensus) et le *qiyas* (analogie), il considérait le Coran et la *Sunna* du Prophète comme les seuls sources valables de la doctrine et de la Loi.

Le mouvement d'Ibn Idris connut un succès immédiat et considérable. Plusieurs de ses disciples fondèrent des congrégations du même type. Le plus marquant fut l'Algérien Mohammed Ibn Ali al-Sanousi (1791-1859). Sur le plan doctrinal, al-Sanousi prônait le droit à l'*idjtihad*, mais son mouvement était surtout orienté vers une réforme morale et sociale allant jusqu'à l'action politique et militaire. L'échec de cette action n'empêcha pas le mouvement de survivre à la répression.

L'héritage des différents mouvements

Tous ces mouvements et quelques autres indiquaient un «réveil» (*nahda*) de l'Islam. Ce «réveil» allait être brusqué et menacé par l'intrusion des Occidentaux. Mais la vitalité reflétée par les premiers mouvements de réforme allait permettre aux musulmans de réagir devant le défi du monde moderne. L'extrémisme exhibé par certains de ces mouvements répugnait à l'ensemble des musulmans. Mais leurs éléments fondamentaux, ramenés à une forme plus modérée, allaient influencer l'évolution moderne de l'Islam. Trois de ces traits caractéristiques annoncent et préparent l'action des réformistes modernes.

1. L'effort de PURIFICATION de la religion va combattre la superstition et l'obscurantisme, réformer le soufisme, relever le niveau moral des croyants.

2. L'ACTION POLITIQUE va viser à réaliser la réforme religieuse et sociale. Attitude paradoxale, qui contient un certain ferment de sécularisation, dans la mesure où l'attention et l'énergie des croyants se concentrent de moins en moins sur l'au-delà et se tournent de plus en plus vers ce monde-ci pour en améliorer la situation politique, économique et sociale, sans pour autant abandonner la foi religieuse.

3. Le RETOUR À L'ISLAM PRIMITIF, au Coran et à la *Sunna* pour aider à reconstruire la société musulmane. Ce fondamentalisme (retour au sens littéral du Livre) ralentit la modernisation, mais ce ralentissement est contrebalancé par l'insistance sur l'*idjtihad* (recherche personnelle), qui va permettre aux modernistes de faire

une relecture du Livre en relativisant les relais que l'Islam médiéval a établis comme définitifs.

Réformisme, fondamentalisme et modernisme

L'Islam officiel et traditionnel, représenté par les *'Oulama* (docteurs de la Loi et de la «théologie»), avait commencé à relever le défi des premiers mouvements de réforme. Mais il fut bientôt interpellé par un autre défi beaucoup plus radical: celui que posait l'Occident moderne. Les canaux par lesquels s'est fait sentir l'influence occidentale sont innombrables: structure politique, appareil judiciaire et administratif, organisation militaire, système économique, mass-media, éducation moderne, cinéma, pensée moderne et tous autres contacts avec la société occidentale.

Sur le plan religieux, deux voies-types s'offraient pour répondre au défi de l'Occident. La première consistait à partir des principes fondamentaux de l'Islam et à les reformuler à la lumière de la situation contemporaine; la deuxième à partir d'une idéologie occidentale choisie et à essayer d'y intégrer la doctrine musulmane. À la limite, ces deux approches peuvent se rejoindre, mais, en raison de leur évolution propre, elles en viendront souvent à s'opposer à travers des mouvements issus de leurs ramifications respectives.

Le réformisme: défense et reformulation de l'Islam

La première approche ne doit pas être confondue avec celle des *'Oulama.* Pour eux, il n'est pas question de «reformulation», en quelque sens que ce soit. La Loi, la «théologie» et la praxis de la Communauté «orthodoxe», fondées sur le Coran et la *Sunna* tels qu'interprétés par les grands «docteurs» du Moyen Âge et confirmés par le consensus général demeurent valides et inaltérables. Elles doivent être suivies, même si des concessions en matière de pratique peuvent être temporairement justifiées par l'irrésistible pression de certaines circonstances.

Pour les musulmans qui jugeaient nécessaire une «reformulation» de l'Islam, le premier mouvement de réforme moderne poursuivit, au XIXe siècle, un double objectif. Sur le plan religieux, il s'agissait de purifier la foi et la pratique religieuse, puisque les esprits religieux voyaient dans la faiblesse politique de l'Islam une conséquence du déclin de la foi et de la corruption de la pratique. En outre, on voulait relever le niveau intellectuel, moderniser l'éducation et en faire bénéficier un plus grand nombre d'individus. Sur le plan politique, l'objectif était de supprimer les causes de division entre les musulmans afin de les unir dans la défense de la foi islamique.

AL-AFGHANI. Ce double objectif fut proposé et poursuivi par Djamal al-Din al-Afghani (1838-1897). Dans son optique, il fallait, si l'on voulait défendre l'Islam contre la mainmise colonialiste, utiliser les moyens fournis par les Occidentaux eux-mêmes (sciences, techniques, éducation moderne) tout en rejetant fermement leur «philosophie matérialiste».

Dans des discours et des articles passionnés, al-Afghani ripostait aux attaques des Occidentaux (le rationaliste Renan, par exemple) en affirmant qu'il n'y a rien d'incompatible avec la raison ou la science dans les principes fondamentaux de l'Islam. Il invitait en outre les musulmans à développer le contenu de l'Islam médiéval afin de répondre aux besoins de la science moderne.

Par ses campagnes infatigables à travers l'Orient musulman, al-Afghani stimula fortement le sentiment d'appartenance et de solidarité des musulmans, qui s'exprima dans le panislamisme, mouvement visant à réunir tous les peuples musulmans. L'action d'al-Afghani reflète un certain humanisme, c'est-à-dire une préoccupation centrée non sur des doctrines et des idées abstraites mais, avant tout, sur l'homme concret et sur son bien-être. C'est là sans doute une influence européenne, mais elle amplifiait un élément déjà présent dans les premiers mouvements de réforme: une certaine tendance «séculière» au sens où, tout en affirmant avec vigueur sa foi en la Vérité transcendante de l'Islam, on en visualise l'effet moins sous la forme d'un bien-être dans l'au-delà (qui est accepté sans pourtant être placé à l'avant-plan) que sous la forme d'un mieux-être en ce monde (en latin, *sæculum:* «siècle»).

MOHAMMED 'ABDOUH. Un des disciples d'al-Afghani, l'Égyptien Mohammed 'Abdouh (1849-1905) eut la perspicacité de séparer la réforme politique de la réforme religieuse et de la reformulation de l'Islam. À l'instar des grands «docteurs» du Moyen Âge, il exposa sa pensée sous la forme d'un commentaire du Coran. Mohammed 'Abdouh était un moderniste, dans la mesure où il prônait l'usage de la pensée moderne. Il était convaincu que la vérité de l'Islam en sortirait confirmée plutôt que sapée.

Dans sa réinterprétation de l'Islam, l'Égyptien Mohammed 'Abdouh n'introduisait pas d'idées matériellement nouvelles dans le corps de la pensée islamique traditionnelle. Mais sa position représentait une évolution par rapport aux mouvements prémodernes, en particulier sur deux points. Tout d'abord, il mettait l'accent sur le rôle de la raison dans l'Islam: pour lui, bien que la raison scientifique et la foi de l'Islam opèrent à des niveaux différents, elles coopèrent à l'avancement humain et ne peuvent, lorsqu'elles sont bien comprises, entrer en conflit. L'autre point, qui lui tenait encore plus à cœur, était de reformuler l'Islam d'une manière qui ouvrirait la porte à de nouvelles idées et à l'acquisition des connaissance modernes. L'influence considérable exercée par l'enseignement de Mohammed 'Abdouh semble tenir au fait qu'il était expert dans les sciences religieuses traditionnelles. Sa pensée s'exprimait en termes intelligibles pour les *'Oulama* et, tout en offrant des possibilités de développement, assurait une continuité avec le passé, ce qui lui donnait une sorte d'ambivalence.

Cette ambivalence eut pour résultat deux tendances différentes qui s'affrontent encore aujourd'hui et qui représentent une sorte de bifurcation du réformisme. L'une de ces tendances, le modernisme, met l'accent sur les idées occidentales pour opérer la réforme, tandis que l'autre, le fondamentalisme, veut réformer l'Islam par un retour aux sources.

Le fondamentalisme: retour aux fondements et activisme

Le mouvement salafi, qui peut être considéré comme un cas-type de fondamentalisme, était dirigé par le Syrien Rashid Rida (1865-1935), un des disciples de Mohammed 'Abdouh. Comme les modernistes, les salafis rejettent l'autorité des écoles de Loi et de «théologie» médiévales et ne reconnaissent que celle du Coran et de la *Sunna*: en ce sens, ils sont réformistes, à l'encontre de la majorité des *'Oulama*. Mais, contrairement aux modernistes, ils rejettent vivement toute intrusion du libéralisme et du rationalisme occidentaux.

Par l'intermédiaire de son journal réformiste *Al-Manar,* le mouvement salafi exerça, du Maroc à l'Indonésie, une grande influence sur l'opinion musulmane. En Inde en particulier, divers mouvements de même type (fondamentaliste) virent le jour; là comme ailleurs, on vit apparaître dans le sillage des salafis une pléiade de sociétés ou fraternités religieuses «revivalistes», comme les «Frères musulmans» en Égypte par exemple. Aujourd'hui encore, on sait que le fondamentalisme jouit d'une très grande faveur, surtout dans les classes populaires.

Le succès du fondamentalisme semble tenir à divers facteurs. Il représente, par rapport au modernisme, une certaine tradition interne à l'Islam et remontant aux mouvements prémodernistes; par rapport au conservatisme des *'Oulama*, il paraît progressiste en raison de son activisme dynamique.

Sur le plan de la reformulation de l'Islam, le fondamentalisme a tenu le modernisme en échec; il a en outre ralenti, sous certains aspects, le processus de modernisation et il est une composante majeure du renouveau islamique des années 1980-90.

Le modernisme: essais d'ajustement et d'intégration

Alors que la première voie-type partait des principes fondamentaux de l'Islam pour relever le défi occidental, la deuxième prenait plus ou moins consciemment comme point de départ une idéologie occidentale dans laquelle elle essayait d'intégrer la foi musulmane. C'est surtout en Inde que cette approche s'est exprimée, dans des tentatives plutôt personnelles et individuelles que collectives. En entrebâillant la «porte de l'*idjtihad*, (recherche personnelle), que le Moyen Âge avait fermée, les mouvements prémodernistes avaient préparé la voie à ces essais.

Le modernisme[2] s'est surtout développé dans les classes dirigeantes (hommes d'État, hauts-fonctionnaires, professionnels). Ce n'est pas d'abord par une reformulation explicite de l'Islam qu'il s'est signalé, mais surtout par une action politique et sociale. Dans sa forme la plus poussée, le modernisme tend à se confondre avec le sécularisme qui, tout en souscrivant aux dogmes fondamentaux de l'Islam, remet le domaine temporel à l'État et non à la religion.

SIR SAYYID AHMED KHAN. La première tentative fut celle d'un haut-fonctionnaire du gouvernement britannique en Inde, Ahmed Khan (1817-1898). Comme Mohammed 'Abdouh, Ahmed Khan croyait que science moderne et Islam ne pouvaient être antagonistes. Fortement influencé par le naturalisme européen[3], Ahmed Khan allait plus loin encore et affirmait que la vraie justification de l'Islam était sa conformité à la nature et aux lois de la science. Pour lui, rien de ce qui n'était pas conforme à ce double principe (nature et raison) ne pouvait être considéré comme authentiquement islamique.

---

2. Par modernisme, on entend l'ensemble des doctrines et des tendances ayant pour objet de renouveler la religion pour la mettre en accord avec les idéologies et les nécessités de l'époque moderne.

3. Pour le naturalisme, les lois scientifiques inhérentes à la nature suffisent à expliquer tous les phénomènes.

Malgré les accusations dont il fut l'objet, Ahmed Khan était un croyant sincère préoccupé de la survie de l'Islam en Inde, où les musulmans étaient non seulement minoritaires mais menacés par l'alignement des hindous avec le nouveau pouvoir britannique. Il voulait d'une part montrer aux occupants anglais que l'Islam n'est pas ennemi du progrès, d'autre part inculquer à ses compatriotes musulmans l'idée que la science et l'éducation modernes peuvent être des alliées de l'Islam:

> L'adoption du nouveau système d'éducation ne signifie pas la renonciation à l'Islam, mais sa protection [...] Le Prophète a dit que la connaissance est l'héritage du croyant, et que ce dernier doit la prendre partout où il peut la trouver, même s'il doit aller jusqu'en Chine pour l'acquérir.
>
> [...] Comment pouvons-nous demeurer de vrais musulmans ou servir l'Islam si nous sombrons dans l'ignorance? [...] La vérité de l'Islam brillera d'autant plus que ses adeptes seront éduqués et familiers avec la meilleure connaissance du monde; cette vérité subira une éclipse si ses adeptes sont ignorants et arriérés.
>
> Les musulmans n'ont rien à craindre en adoptant la nouvelle éducation si en même temps ils tiennent solidement à leur foi; car l'Islam n'est pas superstition irrationnelle; c'est une religion rationnelle qui peut marcher main dans la main avec le progrès des connaissances humaines. Toute crainte du contraire trahit un manque de foi en la vérité de l'Islam[4].

Pour mettre ses idées en application, Ahmed Khan fonda un collège à Aligarh (1875) dans lequel l'éducation religieuse se combina aux études scientifiques modernes. Véhiculant les

---

4. Traduction libre de textes cités dans *Sources of Indian Tradition,* de Wm. Theodore DE BARY, vol. 2, New York, Columbia Un. Pr., 1966, p. 193-194.

vues libérales et rationalistes de son fondateur, le mouvement d'Aligarh amena, chez les intellectuels musulmans, une réévaluation de l'éthique sociale de la Communauté musulmane. Cette influence se fit sentir bien au-delà de l'Inde.

AMIR 'ALI et MOHAMMED IQBAL. Parmi les auteurs indiens qui ont popularisé le modernisme théologique et social, le plus connu et le plus lu[5] est sans doute Sayyid Amir 'Ali (1849-1928). Son œuvre reflétait si bien la mentalité de ses contemporains que peu de musulmans éduqués s'aperçurent qu'Amir 'Ali reformulait l'Islam en termes de libéralisme[6] occidental.

Parmi les positions d'Amir 'Ali, il en est trois qui sont devenues courantes dans la pensée musulmane moderne. La première est la concentration sur la personne de Mohammed. En contraste avec la doctrine soufie, Mohammed est présenté non comme un intermédiaire surnaturel, mais comme la personnification des vertus humaines. En second lieu, l'enseignement du Prophète est présenté en des termes reflétant l'idéal social du libéralisme anglais de la période victorienne; les piliers de l'Islam (prière, jeûne, aumône, pèlerinage), par exemple, s'imposent sur la base rationnelle de leur utilité physique et sociale. Enfin, l'Islam est considéré comme une force progressiste de civilisation: en contraste avec l'état de l'Europe au Moyen Âge, la civilisation islamique médiévale apparaît comme la civilisation d'avant-garde dans laquelle l'Europe a puisé pour prendre ensuite une avance sur les plans intellectuel et technique. En conséquence, en adoptant la science et l'éducation occidentales, les musulmans ne font que reprendre possession de leur propre héritage.

---

5. Son livre, *The Spirit of Islam,* publié en 1891, a été souvent réédité, notamment par Methuen, Londres, 1965.

6. Nous prenons ici «libéralisme» au sens de philosophie fondée sur la foi dans le progrès, dans la bonté essentielle de l'homme et dans l'autonomie de l'individu.

Ce dernier argument prend une tournure encore plus persuasive chez Mohammed Iqbal (1876-1938), qui donne de l'Islam une vigoureuse reformulation moderniste. Contrairement aux modernistes antérieurs, Iqbal tire cette reformulation de la philosophie soufie, qu'il réinterprète dans l'optique du surhomme nietzschéen et de la théorie bergsonienne de l'évolution créatrice. Propulsé par un souffle poétique puissant, l'appel à la fierté et à l'action lancé par Iqbal enflamma les musulmans indiens et contribua à la création de l'État pakistanais (1947).

Modernisation et sécularisation relative

Il faut admettre que sur le plan doctrinal le modernisme et le réformisme ne sont pas allés très loin dans la reformulation de l'Islam. Ils ont surtout contribué à le défendre contre l'intrusion de l'Occident et à raviver sa fierté. Leur but était d'encourager la Communauté musulmane à entrer dans l'ère moderne autrement qu'en victime résignée.

Sur le plan pratique, en revanche, les actions sont allées beaucoup plus loin que la pensée. En adoptant des systèmes et des mesures modernes sur les plans politique, législatif, social, éducatif et économique, les pays musulmans se sont transformés. Cette modernisation s'est accompagnée d'un processus de sécularisation relative résidant fondamentalement en une sorte de séparation entre le religieux et le temporel, séparation issue moins d'une décision consciente que d'un déphasage entre l'évolution doctrinale et l'évolution pratique de la société, les faits précédant de loin la pensée.

Modernisation

Le nationalisme a été la grande force qui a secoué le joug colonial et assuré l'indépendance politique des pays musulmans. Mais une fois cette indépendance acquise, le nationalisme a eu des effets à l'intérieur même du monde musulman. L'abolition du califat ottoman (1924) était déjà un effet du nationalisme, qui s'en trouva renforcé: il n'était plus question de revenir à la situation qui prévalait avant la mainmise européenne. Chaque pays musulman se retrouvait constitué en État-nation souverain poursuivant sa carrière propre, comme les États occidentaux modernes.

Chacun des États musulmans adopta un système politique moderne: république ou royauté constitutionnelle. Dans la théorie médiévale, l'autorité législative appartenait à Allah, et par dérivation à la *Shari'a* (Loi islamique). Dans l'État-nation, ce pouvoir appartient au gouvernement qui fait des lois pour la société musulmane. Ces lois peuvent s'inspirer du Coran et de la Tradition musulmane, ou au moins essayer de ne pas les contredire; mais elles sont surtout dictées par les nécessités sociales et économiques. La *Shari'a* se retrouve ainsi confinée à ce qui concerne le statut personnel et, même là, la juridiction des tribunaux religieux est souvent réduite au profit des tribunaux civils.

Sur le plan social, l'État est devenu le principal agent de la réforme et de la modernisation de la société musulmane. En Turquie, cette entreprise s'est traduite par une sécularisation assez brusque. Entre 1922 et 1934, une série de mesures ont fait de l'Islam une «affaire privée» et non plus la religion d'État. Une baisse de la pratique religieuse a suivi, mais, depuis 1950, une réaction s'est dessinée et a amené, entre autres choses, le rétablissement de l'enseignement religieux dans les écoles.

Dans les autres pays, la modernisation a pris une allure moins radicale. Les mesures qui retiennent l'attention visent la famille, et surtout le statut de la femme. Dans plusieurs pays, les mouvements féministes ont amené la suppression du port du voile, le droit de vote pour les femmes, la diminution et souvent la suppression de la polygamie, ainsi que la limitation du droit de répudiation donné au mari par la *Shari'a*. Les mouvements syndicaux et étudiants sont devenus une force que les gouvernements essaient de contrôler en élaborant une législation du travail. L'éducation touche de plus en plus d'individus et l'école moderne a remplacé la traditionnelle *madrasa* (école religieuse) qui semble maintenant confinée à la formation des *'Oulama* (docteurs en sciences religieuses).

En luttant contre la dépendance économique et contre les disparités sociales, la plupart des pays musulmans ont opéré des réformes agraires, et surtout un développement des techniques industrielles et économiques. À première vue, ces initiatives ne semblent pas avoir grand rapport avec la religion. Mais, dans les faits, l'emprunt des techniques et des sciences occidentales est souvent devenu une sorte de cheval de Troie: il est bien difficile d'emprunter à l'Occident sa technologie sans qu'à la longue les idéologies qui lui sont liées ne s'infiltrent petit à petit dans la façon de vivre et de penser des musulmans.

Sécularisation relative

Il est très délicat d'appliquer à l'Islam un concept qui, même en contexte occidental, est compris de diverses manières. Tout d'abord, nous parlons ici de sécularisation plutôt que de sécularisme pour bien indiquer qu'il ne s'agit pas d'une idéologie consciemment poursuivie en une politique cohérente mais d'un processus socio-politique qui échappe en bonne partie au contrôle des individus et des groupes. En Islam, la sécularisation ne consiste pas en une «séparation» de l'Église et de l'État, puisqu'il n'y a ni Église ni clergé à proprement parler.

En dehors de la Turquie, il y a très peu de sécularisme ou de «laïcisme»; il n'existe pas de théorie prônant de façon systématique la séparation du religieux et du temporel («séculier»), séparation de la religion et de l'État. C'est, bien au contraire, comme nous l'avons vu précédemment, au nom d'un idéal religieux que les modernistes invitaient les croyants à s'emparer de la science et des moyens techniques du «siècle».

Les modernistes ne contestaient pas le fait que l'Islam devait se traduire dans une structure socio-politique proprement «islamique», ce qui eût été du sécularisme. Ils ne contestaient pas l'emprise du religieux sur le temporel. Ce qu'ils contestaient, c'était la conviction traditionnelle consistant à croire que cette emprise ne pouvait se traduire que dans une seule structure socio-politique, celle qu'avait construite l'Islam médiéval. Mais lorsque le moment était venu de reformuler l'Islam, d'élaborer de nouveaux relais pour le traduire dans une manière de vivre et de penser, ce que les modernistes présentaient consistait le plus souvent en des conceptions importées d'Occident, qu'ils s'efforçaient d'«islamiser» en les projetant sur la personne et l'agir du Prophète. C'est ce qu'avait fait Amir 'Ali.

De leur côté, les fondamentalistes ou «revivalistes» voulaient revivre le passé. Ce passé, ce n'était pas l'Islam médiéval, privilégié par les *'Oulama*, et ce n'était pas davantage le passé de l'Islam originel tel qu'imaginé par les modernistes à la lumière du présent. Le passé que les fondamentalistes voulaient faire revivre, c'était celui de la Communauté primitive. En voulant sauter par-dessus des siècles d'histoire et ignorer ce qu'était devenu l'Islam, concrètement parlant, ils rejoignaient les modernistes.

Pendant que modernistes et fondamentalistes réaffirmaient un idéal islamique pour le présent, mais sans pouvoir le situer dans une continuité réelle et historique avec le passé, les *'Oulama*, eux, représentaient cette continuité, mais une continuité qui s'arrêtait pour ainsi dire aux portes du présent sans pouvoir intégrer ce dernier de façon vraiment cohérente. En se contentant de réaffirmer la validité et la normativité de la synthèse médiévale, les *'Oulama* ne rejettent pas nécessairement l'évolution actuelle de la Communauté musulmane, mais, jusqu'à présent, ils n'ont pas réussi à montrer comment l'Islam actuel peut assumer l'héritage médiéval autrement qu'en retournant en arrière pour répéter ce passé glorieux mais dépassé par une modernisation inscrite dans les faits.

La pensée religieuse islamique — que ce soit celle des modernistes, des fondamentalistes ou des *'Oulama* — se trouve pour ainsi dire débordée ou devancée par les faits. En raison de ce déphasage, le musulman moderne a souvent l'impression que sa vie est compartimentée, partagée entre deux allégeances distinctes, autonomes et «séparées», même si elles ne sont pas nécessairement opposées ou contradictoires: d'un côté l'allégeance à l'État-nation qui incarne les aspirations à l'indépendance, au mieux-être social, au progrès économique et culturel — c'est l'univers «séculier», axé d'abord sur le bonheur ici-bas et fondé sur la capacité de l'homme à prendre en main sa propre destinée en ce monde — et, de l'autre, l'allégeance à la religion islamique qui incarne toujours, pour la majorité des musulmans, les aspirations à une vie future et à la survie au-delà de la mort — c'est l'univers «religieux», axé d'abord sur le bonheur dans l'au-delà et fondé sur l'incapacité de l'homme à assurer sa propre destinée au-delà du temps.

Chacun de ces deux univers a ses exigences propres, qui ne sont peut-être pas inconciliables, mais qui, de fait, n'ont pas encore été vraiment conciliées sur le plan de la pensée et de l'agir collectif. Cette situation n'est évidemment pas propre à l'Islam. On peut ainsi parler de «sécularisation» en Islam, au sens où dans les pays musulmans la société semble organisée en fonction d'une allégeance première à l'univers «séculier» représenté par l'État. Dans la mesure du possible, l'État essaie de concilier cette allégeance avec l'allégeance religieuse. Cette conciliation se fait la plupart du temps à l'aide de compromis qui ne règlent pas les problèmes de fond mais permettent à la société de continuer à se moderniser. La religion n'est donc pas prise de front, comme cela s'est souvent passé en Occident; elle est tout simplement contournée. Elle n'est pas rejetée, mais plutôt mise sur une voie d'évitement en attendant que l'on trouve exactement la place qui lui convient dans une collectivité transformée. Elle continue d'influencer l'agir individuel et collectif, mais sans être un facteur déterminant dans l'évolution de la société.

Toutefois, avec la fin des années 1970, il est devenu clair que les musulmans remettent en cause ce compromis. Déçus des résultats du projet séculier, ils se tournent, parfois brusquement, vers un projet religieux. C'est ce virage que nous allons maintenant considérer.

Le «renouveau islamique»

Des mots et des images

Au départ, précisons que l'expression «renouveau islamique» utilisée ici ne désigne pas ce qu'on appelle en arabe *nahdat al-islam.* Cette dernière expression, habituellement traduite par «renaissance» ou par «réveil de l'Islam», désigne la montée nationaliste, largement séculière, qui a eu lieu au début du siècle dans les pays musulmans. En utilisant l'expression «renouveau islamique», nous nous référons tout simplement à un phénomène plus récent, à connotation religieuse, dont nous allons à présent essayer de saisir la portée.

Depuis la révolution iranienne de 1979 et à l'occasion de divers événements d'actualité, les médias utilisent de plus en plus souvent des expressions comme «révolution islamique», «révolte de l'Islam», «montée de l'Islam», «intégrisme musulman», «fondamentalisme musulman», «mouvement islamiste», etc. Nous pouvons dès maintenant formuler quelques réserves sur l'utilisation de certaines de ces expressions. Tout d'abord, parler de «renaissance» ou de «résurgence» de l'Islam, c'est laisser entendre qu'il était en quelque sorte disparu. Or, au sein même des remises en cause modernes, l'Islam a toujours conservé son emprise sur les masses populaires[7]. Quant aux termes «intégrisme», «fondamentalisme» et «revivalisme», ils ont vu le jour en contexte chrétien et leur utilisation en con-

---

7. Cf. Charles J. ADAMS, «Les mouvements fondamentalistes islamiques», dans *l'État du monde 1986,* Montréal, Boréal, 1986, p. 591: «Si la montée des mouvements fondamentalistes a été une telle surprise pour les observateurs, c'est qu'ils n'ont pas su mesurer la profondeur de l'engagement à l'Islam du musulman ordinaire et qu'ils ont cru à la représentativité des petits groupes de musulmans qui constituent l'élite gouvernante, occidentalisée et aliénée. C'est pourquoi on ne peut véritablement parler de renaissance ni de résurgence de l'Islam, puisque pour la grande majorité, la religion a toujours été active et vivante.»

texte islamique suppose certaines similarités, mais aussi des différences[8].

Au-delà de ce problème sémantique, qui touche les spécialistes, existe un problème beaucoup plus préoccupant, puisqu'il touche la masse de gens qui regardent les reportages télévisés ou lisent les journaux. Ce problème, il est davantage sémiotique, c'est-à-dire qu'il concerne des associations d'images et de mots avec des personnes. Très souvent, les expressions mentionnées plus haut apparaissent dans un contexte de violence: guerres, coups d'État, assassinats de chefs politiques, prises d'otage, attentats terroristes, détournements d'avions, etc. Le sensationnalisme cher aux médias laisse facilement croire que l'Islam est l'explication, sinon la cause de ces événements. Les médias modernes rejoignent en cela une longue tradition suivie par certains orientalistes pour qui tout ce qui se passe chez les musulmans doit nécessairement s'expliquer par le fait qu'ils sont des adeptes de la religion islamique[9].

Si l'on ne veut pas être victime de simplifications commodes mais injustes et dangereuses, on doit se poser au moins

---

8. Tout en utilisant lui-même le terme «fondamentaliste», Charles J. ADAMS (*op. cit.*, p. 591-592) fait une mise en garde: «[...] l'utilisation du terme "fondamentalisme" pour les groupes politiques islamiques contemporains, peut prêter à confusion, car il laisse entendre qu'à une époque antérieure, les principes de base de l'Islam auraient été oubliés ou négligés. Bien au contraire, le respect des musulmans pour les fondements de leur héritage religieux n'a jamais failli. Et, alors que le fondamentalisme chrétien donne la prépondérance à l'individu, ces mouvements islamiques se distinguent par le dynamisme social et politique de leur enseignement.» Voir aussi *Le retour de l'Islam,* de Bernard LEWIS, Paris, Gallimard, 1985, p. 412.

9. Dans un article du *Time* (vol. 113, n° 16, 16 avril 1979), qui résume son livre *Orientalism* (Pantheon Pr.), Edward Said dénonce cette tendance. Il écrit: «Nous avons besoin de compréhension pour constater que la répression n'est pas principalement islamique ou orientale mais qu'elle est un aspect répréhensible du phénomène humain. "L'Islam" ne peut pas tout expliquer en Afrique et en Asie, tout comme le christianisme ne peut expliquer le Chili ou l'Afrique du Sud. [...] Cela ne calmera-t-il pas notre crainte d'accepter le fait que les gens font les mêmes choses à l'intérieur aussi bien qu'à l'extérieur de l'Islam, que les musulmans vivent dans l'histoire et dans notre monde commun, et non simplement en contexte islamique?» (Traduction libre)

deux questions face aux faits que l'actualité associe à l'Islam et aux musulmans: dans quelle mesure ces faits sont-ils propres à l'Islam ou imputables à l'Islam, et dans quelle mesure impliquent-ils l'ensemble des musulmans plutôt que des groupes particuliers?

En réponse à ces questions, nous allons situer le renouveau islamique dans un contexte plus global, celui de la crise de la modernité, pour ensuite en saisir la dynamique de base, c'est-à-dire le passage d'un modèle séculier à un modèle religieux de société.

La crise de la modernité

Au cours des années 1970 et 1980, le monde occidental a connu d'amères désillusions qui ont durement ébranlé la confiance placée jusque-là dans les idées et les institutions modernes. Le progrès et le développement illimités de l'humanité, qui semblaient un idéal indiscutable, ont été remis en cause au profit de l'instinct de conservation et de modération. Sur le plan politique, le conservatisme a fait des gains énormes aux dépens du progressisme.

Sur le plan économique, la crise du pétrole et de l'énergie a fait prendre conscience de la fragilité du système occidental: le libéralisme a eu maille à partir avec le dirigisme d'État. Sur le plan social, l'État-providence a dû reconnaître ses limites face à la pauvreté et au chômage. Sur le plan de l'éducation, les objectifs et les méthodes modernes ont produit des résultats chaotiques: les gains enregistrés au niveau scientifique et technologique ont été sérieusement hypothéqués par une sorte de vide culturel et moral. Sur le plan international, l'ONU s'est avérée de plus en plus impuissante à assurer le respect des droits de l'homme, que ce soit en Afrique, au Moyen-Orient ou en Amérique du Sud. La justice a été asservie au pouvoir et à la force, avec la complicité des grandes puissances.

Durant cette crise de la civilisation moderne, bien des gens ont cherché dans la religion une solution ou à tout le moins un refuge. À leurs yeux, cette situation témoigne de l'incapacité de l'humanité à édifier un bonheur terrestre sans référence à un au-delà. La croyance et la pratique religieuses ont connu un regain de vie au sein des grandes religions traditionnelles. Ne croyant plus aux promesses de la société de consommation, bien des gens sont retournés à la religion de leur enfance. Pour d'autres, surtout des jeunes en quête d'un sens à la vie, ce sont les sectes et les nouveaux groupes religieux qui ont fourni la réponse. Que ce soit à l'intérieur de ces groupes ou des sous-groupes des religions traditionnelles, le retour à la religion se fait très souvent sur une base fondamentaliste et même intégriste: par crainte de retomber dans les «égarements» de la société séculière, on s'en tient scrupuleusement à la lettre des textes et des prescriptions, à des choses claires et simples.

Ayant découvert ce qu'ils estiment être la solution à tous les problèmes, ces néophytes affichent leurs convictions et, souvent, s'emploient avec zèle à les propager. Dans bien des cas, ils n'hésitent pas à dénoncer et à combattre des mesures gouvernementales qui vont à l'encontre de ce qu'ils estiment être les «droits de Dieu» ayant préséance sur les droits de l'homme. Il s'ensuit parfois des affrontements passionnés; chez les radicaux, on passe graduellement de l'intolérance à la violence. Que ce soit en Inde, en Irlande ou au Moyen-Orient, le mélange religion-politique est devenu particulièrement explosif. Quels qu'en soient les motifs, la violence des faibles (le terrorisme), comme celle des forts (l'intervention militaire), est un phénomène mondial lié en bonne partie à la crise de la modernité.

Où se situent l'Islam et les musulmans dans le contexte global que vous venons d'évoquer?

Rejet du modèle séculier

Dans la mesure où les pays musulmans sont entrés dans le courant de la modernisation, ils ont été eux aussi victimes du ressac de la modernité. Aux lendemains de l'indépendance, l'État-nation est devenu le centre de gravité du projet de société. Le nationalisme a joué un rôle déterminant en tant que force de libération politique face aux pouvoirs coloniaux. Mais, en tant que force constructive, la loyauté à l'État-nation a connu bien des déboires. Après un certain temps, les régionalismes culturels et politiques ont remis en cause la cohésion politique et l'unité territoriale. Dans les pays musulmans comme ailleurs, les revendications autonomistes ont jailli de l'insatisfaction populaire face aux promesses d'égalité et de prospérité qui tardaient à devenir réalité. Malgré des progrès économiques réels, la concentration des richesses dans les mains d'une minorité possédante a creusé des fossés énormes entre les classes sociales. Pendant ce temps, bien des jeunes, éduqués à l'occidentale et gavés d'images importées (TV, cinéma), ne savaient plus trop bien qui ils étaient et où ils allaient.

En terre d'Islam comme en Occident, bien des esprits religieux ont interprété les déboires de l'État-nation et la crise de la modernité comme des signes évidents de l'échec du projet séculier[10]. Si la société terrestre connaît tant de problèmes, c'est qu'elle a oublié Dieu et l'au-delà. Sur ce chapitre, capitalisme et communisme subissent, en raison de leur matérialisme, le même rejet. Mais en contexte musulman, l'Amérique et l'Europe sont particulièrement montrées du doigt et prises à partie à titre de propagandistes des idées séculières et de responsables des maux de la société. Pour certains, le christianisme est lui aussi à condamner parce qu'il a trahi le message de son fondateur en pactisant avec le matérialisme qu'il est impuissant à réprimer. En parlant du rejet de l'Occident et du modèle séculier de société, il faut préciser que ce que rejette le renouveau islamique, c'est, beaucoup plus que le progrès et le développement matériel, le «contexte

10. L'interprétation religieuse n'est évidemment pas la seule possible. Certains pourraient soutenir que les problèmes ne viennent pas du fait qu'il y a eu trop de modernisation mais du fait qu'il n'y en a pas eu assez.

socio-économique, politique, et évidemment le contexte culturel et moral à l'intérieur desquels le développement matériel s'est déroulé jusqu'ici[11]».

Deux événements sont venus conférer un caractère agissant et efficace au rejet de l'Occident et de ses valeurs séculières. Le premier, la crise pétrolière de 1973, a démontré qu'on pouvait résister avec succès aux grandes puissances occidentales. En bouleversant l'économie mondiale, les pays musulmans exportateurs de pétrole ont redécouvert le pouvoir, ce qui a suscité en terre d'Islam un sentiment de confiance, de dignité et de fierté retrouvées. Interprétée en Occident comme une «revanche des Arabes», la hausse vertigineuse des prix du pétrole était en réalité un juste retour des choses: pendant des années, l'Occident, tout en ménageant ses propres réserves d'énergie, avait connu un développement spectaculaire grâce au prix dérisoire du pétrole importé du Moyen-Orient. Un pays comme l'Arabie saoudite, par exemple, était en droit de reprendre le contrôle de ses ressources et d'en affecter le revenu à son propre développement. Du même coup, le pétrole devenait une arme efficace pour contrer la mainmise occidentale.

Le deuxième événement, la révolution iranienne de 1979, a mis en lumière la capacité mobilisatrice du sentiment religieux, au grand étonnement de l'Occident. Pour des millions de croyants musulmans, cette révolution est devenue le prototype spectaculaire de la «révolution islamique» en incarnant le rejet de l'idéal séculier et l'adoption du modèle religieux. De fait, cette révolution a été orchestrée dans le cadre du rituel shi'ite de la «passion». En scandant «Shah-Yazid, Khomeyni-Hoseyn» face aux blindés du Shah d'Iran, la foule revivait la «passion» de Hoseyn, le deuxième *imam*, massacré par le calife Yazid. Pour ces croyants, Yazid, personnification des forces du mal, c'était le Shah, monarque séculier, suppôt de Satan, vassal des Américains; Hoseyn, personnification des

11. *The Politics of Islamic Revivalism: Unity and Diversity,* Shireen T. Hunter, (Ed.), Bloomington, Indiana Univ. Pr., 1988, p. 282.

forces du bien, c'était Khomeyni, guide religieux, porte-parole de Dieu, libérateur des exploités. Défier l'armée du Shah, c'était prendre parti pour Dieu et son *imam*; être tué, c'était devenir «martyr», comme les *imam* 'Ali et Hoseyn, et ainsi gagner le ciel. Une fois le Shah renversé, ce rituel continuera de motiver les commandos-suicides et les bataillons d'adolescents-soldats.

Le rejet du modèle séculier et de l'Occident ne s'est fait nulle part d'une manière aussi dramatique qu'en Iran; mais les chefs politiques musulmans doivent de plus en plus tenir compte de ce phénomène de rejet et du retour de l'Islam sur la scène nationale et internationale.

Recours au modèle religieux et réislamisation

Dans le modèle séculier, l'Islam était un élément d'identité à intégrer et l'État-nation était le centre de gravité du projet de société. Dans le modèle religieux, l'Islam devient l'élément intégrateur, cœur même de l'identité collective, le centre de gravité du projet de société. L'État-nation, lui, est au service de l'Islam.

À cet égard, l'expression «État islamique» peut prêter à confusion. Chez les musulmans comme chez les Occidentaux, on croit souvent qu'il s'agit d'une sorte d'État dont on possède une maquette bien précise pour le distinguer d'un État socialiste, capitaliste, communiste, etc. Mais une telle maquette existe-t-elle? Un «État islamique», c'est peut-être davantage une forme d'Islam qu'une forme d'État[12]: c'est l'Islam qui veut se traduire dans les structures et le fonctionnement d'un état; idéalement «musulman», c'est-à-dire «soumis à Allah», cet état porte les croyants dans l'accomplissement de leurs devoirs et les maintient dans le droit chemin, celui qui mène vers Allah. Certains verront là une utopie; mais ils devront

---

12. C'est ce que suggère W.C. SMITH dans *Islam in Modern History*, New York, Mentor Books, 1963, p. 215.

alors reconnaître qu'elle est partagée par bon nombre de croyants de diverses religions.

Ici, il faut nuancer l'opposition entre «modèle séculier» et «modèle religieux». En contexte islamique où religion et politique sont intimement liées, l'adoption du modèle religieux ne signifie pas qu'on ne pense plus qu'à l'au-delà et que l'on délaisse le sort de la société ici-bas. Bien au contraire, le renouveau islamique est précisément dû, en bonne partie, à l'insatisfaction des masses devant le peu de résultats tangibles de la modernisation. L'Islam apparaît alors comme la seule force capable de changer la société, de lui redonner une base d'identité, une motivation efficace. On pourrait même dire que le renouveau islamique est d'abord un phénomène social plutôt que religieux, au sens où, dans bien des cas, c'est la prise de conscience sociale qui amène le retour à la religion et non l'inverse. Dans cette optique, un «État islamique» est peut-être aussi un État qui puise dans l'Islam une idéologie capable de le faire progresser aussi bien ici-bas qu'en fonction d'un au-delà[13].

Par ailleurs, que l'on parle d'«État islamique», de «révolution islamique» ou de renouveau islamique, on réfère à tout le moins à une réalité qui touche la plupart des musulmans: la réislamisation de la vie individuelle et collective.

Sur le plan individuel, on constate que bien des musulmans, surtout les jeunes, découvrent ou redécouvrent l'Islam. Même en milieu occidental, ils ne craignent pas d'afficher leurs convictions et leurs pratiques religieuses; à leur contact, des Occidentaux se convertissent à l'Islam et s'en font les propagandistes; déçus du capitalisme et du communisme, ils voient dans l'Islam une troisième voie, une voie fournissant une identité claire et simple. Tout comme pour d'autres

---

13. Depuis quelques années, on utilise fréquemment le terme «islamisme» pour désigner une telle idéologie dérivée de l'islam, et le terme «islamistes» pour désigner les adeptes de cette idéologie. Pour un résumé de l'idéologie commune aux mouvements islamistes, cf. C.J. ADAMS, *op. cit.*, p. 592-593.

groupes religieux, le retour à la religion se fait parfois dans le cadre d'une compréhension littérale des textes sacrés, d'un intégrisme doctrinal et d'un rigorisme moral.

Sur le plan collectif, la révolution iranienne et la propagande shi'ite (*al-da'wa*: «l'appel») ont canalisé l'insatisfaction populaire et mis la pression sur les chefs politiques des pays musulmans. Cette pression a accéléré le mouvement de réislamisation qui avait déjà été amorcé plus ou moins timidement. Il faut signaler qu'il ne s'agit pas là d'un processus uniforme et préétabli, mais d'une tendance à réaligner les structures de la société sur l'Islam en s'inspirant des préceptes du Coran, de l'exemple du Prophète et de l'héritage de grandes écoles de Loi.

Cette tendance s'est manifestée dans différentes sphères de la société. Au Moyen-Orient, par exemple, l'influx de pétro-dollars a favorisé la mise sur pied de systèmes bancaires et de sociétés d'investissement «islamiques»: grâce à d'ingénieuses combinaisons de transactions, les investisseurs peuvent faire fructifier leur capital tout en respectant l'interdiction coranique touchant le *riba* (intérêt). Cela a favorisé l'entraide économique entre les pays musulmans et donné naissance à des projets de développement originaux dans des pays plus pauvres.

Un secteur qui a souvent défrayé la chronique occidentale, c'est celui de la *Shari'a* (Loi islamique). Couper la main d'un voleur, ou lapider ceux qui sont trouvés coupables d'adultère, c'est sans doute appliquer à la lettre certaines prescriptions du Coran ou de la Loi islamique, mais c'est aussi ignorer ou rejeter des siècles de tradition juridique musulmane: pour les experts des grandes écoles de Loi, qui se réclamaient des traditions du Prophète, l'application des peines coraniques était assujettie à un certain nombre de conditions, qui étaient rarement remplies[14], de sorte de que l'application littérale des

14. Par exemple, on ne coupera la main d'un voleur que s'il vole «dans une société juste».

peines était le dernier recours et non le premier. En ce sens, ce qui est déterminant, ce n'est pas le Coran ou la Loi en eux-mêmes, mais la compréhension qu'en ont les croyants et l'application qu'ils en font.

Ce qui retient moins l'attention mais qui est plus typique de l'instinct de modération et d'assimilation sélective des musulmans, c'est la réislamisation graduelle du Droit et du système judiciaire dans plusieurs pays musulmans. Pour remplacer les codes étrangers, on a procédé à la codification de la jurisprudence des quatre grandes écoles de Loi islamique. La pratique traditionnelle de la *Shari'a* n'étant pas monolithique, la codification a permis une sélection des éléments qui, tout en reflétant la préoccupation fondamentale de la *Shari'a* — régir la vie des croyants selon la volonté d'Allah —, étaient les plus compatibles avec la vie actuelle des musulmans.

Face à la crise de la modernité, les musulmans ne sont pas les seuls à délaisser l'idéal séculier pour se tourner vers les valeurs religieuses. Ce qui les caractérise cependant, c'est l'intensité et l'ampleur prises par la fermentation religieuse et l'action politique. Dans certains cas, bien que le virage soit brusque et puisse ressembler à un retour en arrière, le rejet radical de l'Occident et l'adoption d'un modèle théocratique totalitaire sont loin de rallier tous les musulmans, même en Iran: le modèle religieux de société peut lui aussi connaître des déboires. Au-delà des cas extrêmes qui retiennent l'attention des médias, l'effet le plus durable du renouveau islamique sera peut-être l'effort graduel pour réévaluer, en fonction d'un au-delà, le fonctionnement individuel et collectif d'une société en quête de sens.

De la menace à la promesse

En raison des images auxquelles il se trouve souvent associé dans les médias, le renouveau islamique peut nous sembler menaçant. Si on veut dépasser ces images, on doit d'abord revenir à une de nos questions de départ en la reformulant comme suit: dans quelle mesure le renouveau islamique touche-t-il l'ensemble des musulmans? À un niveau général, le renouveau islamique se présente chez les masses comme un regain de conscience islamique et de ferveur religieuse, mais cette effervescence populaire ne franchit généralement pas le seuil de l'action politique.

Au milieu de cette mer piétiste assez calme, il y a pourtant des îlots d'activisme militant. Ces groupes islamistes font montre d'une conscience politique qui les oppose à l'État, à ses gouvernants et à ses institutions. Bien que certains de ces groupes n'excluent pas la violence pour parvenir au pouvoir, la très grande majorité des contestataires militent à l'intérieur de paramètres légaux et démocratiques. Leur action vise essentiellement à conscientiser les masses et à canaliser l'insatisfaction populaire en mouvement politique capable de prendre le pouvoir et de changer la société.

Mais, ainsi que le craignent certains, qu'arriverait-il si l'un de ces mouvements prenait le pouvoir, même de façon démocratique? Le succès du Front islamique du Salut aux élections de 1991 et de 1992 en Algérie a presque transformé cette crainte en panique. Il faut cependant signaler qu'à peine une dizaine d'années après la Révolution islamique de 1979, l'Iran de Rafsanjani n'était déjà plus l'Iran de Khomeyni. En terre d'Islam comme ailleurs, les gens valent habituellement mieux que leurs idéologies; c'est-à-dire que, parvenus au pouvoir, les idéologues doivent composer avec la réalité; tôt ou tard, ils sont amenés à suivre des politiques dictées davantage par un réalisme pragmatique que par une idéologie pure et dure. De plus, dans la mesure où ils ont été portés au pouvoir parce qu'ils ont canalisé l'insatisfaction populaire face aux conditions économiques et sociales, leur performance sera évaluée en fonction de ces mêmes critères. La promesse du paradis ne suffira pas à combler les aspirations suscitées par un mouvement aussi politique que religieux.

Une autre image menaçante, c'est celle de la Loi islamique, la *Shari'a*, dont le rétablissement figure en tête des programmes des mouvements islamistes. Ici aussi, il faut compter avec le temps: quand on remet en marche une «mécanique» locale qui n'a presque pas fonctionné depuis longtemps parce qu'on lui a préféré une prétendue merveille importée de l'étranger, il faut s'attendre à des tâtonnements et à des ratés. S'il a fallu quelques siècles aux premiers musulmans pour mettre en place une Loi qui fasse le pont entre leurs convictions religieuses et leurs nouvelles conditions de vie, il faudra sans doute plus qu'une décennie pour que l'esprit de cette Loi s'acclimate à la vie moderne et y discerne ce qui convient aux musulmans.

Vue sous cet angle, la vitalité qui s'exprime dans le renouveau islamique peut être perçue comme une promesse: dans la mesure où les musulmans retrouveront leur identité et reprendront le contrôle de leur vie, ils seront sans doute en meilleure position pour entretenir avec l'Occident moderne des relations où l'égalité des partenaires ne s'édifiera pas sur le nivellement de leurs différences.

Conclusion

Encore aujourd'hui, l'Islam paraît menacé par le monde moderne, mais moins qu'on pouvait le croire au début du siècle. La sécularisation relative dont nous avons parlé plus haut pourrait peut-être s'expliquer, sur le plan psychologique, comme étant une étape dans une recherche d'identité. Au Moyen Âge, les éléments constituant l'identité de la Communauté musulmane étaient intégrés et harmonisés; le politique, le social, l'économique, le religieux et le culturel formaient un ensemble cohérent et assez facile à porter.

Au cours de la période moderne, la dislocation de cet ensemble a provoqué une crise d'identité au sein de la Communauté musulmane. Cette dernière s'est trouvée écartelée entre les divers éléments de son identité, et il lui est devenu presque impossible de porter tous ces éléments à la fois. Dans de telles circonstances, l'instinct de conservation amène habituellement une collectivité à privilégier un de ces éléments qui devient un point de ralliement et de concentration des énergies. On s'allège alors en déposant les autres éléments «sur la tablette», quitte à les réassumer progressivement lorsque l'équilibre a été rétabli autour d'un nouveau centre de gravité.

Cet élément privilégié, ce centre de gravité, semble avoir été pour les musulmans modernes comme pour bien d'autres groupes le nationalisme cristallisé dans l'État-nation souverain. Les énergies, d'abord investies dans la conquête de l'indépendance, se sont ensuite appliquées à moderniser la texture sociale, économique et technologique des États. Les progrès économiques réalisés posent depuis un bon moment, et en termes aigus, le problème de la répartition des ressources matérielles et culturelles entre les diverses classes de la société.

Une bonne partie des énergies semble actuellement investie dans la reconquête d'identité qui s'opère chez les collectivités musulmanes. Dans cette entreprise, l'Islam joue un rôle réel, mais qu'il n'est pas toujours facile d'évaluer. Tantôt élément à intégrer à l'identité collective, tantôt élément intégrateur de cette identité, l'Islam semble en quelque sorte subir ou commander, selon le cas, l'oscillation d'un pendule au rythme des mutations socioculturelles et économiques.

Dans un tel contexte, il est très difficile de prévoir l'avenir de l'Islam. En continuité avec ce que nous avons essayé d'établir dans cet ouvrage, on peut esquisser une hypothèse, mais en étant conscient qu'elle est bien générale et discutable.

S'il est permis de croire que l'histoire se répète, on peut penser que l'évolution de l'Islam moderne ressemblera au processus qui a présidé à l'élaboration de l'Islam médiéval. Au point de départ, l'Islam était un Livre (le Coran) et des croyants rattachés à ce Livre par l'intermédiaire du Prophète.

Aujourd'hui, ces éléments fondamentaux sont encore là: pour des millions de musulmans, le Coran et l'exemple du Prophète restent un point de repère qui donne un sens à leur vie, au-delà des bouleversements modernes.

Au cours des premiers siècles, les musulmans ont fait face à des cultures, des philosophies et des situations sociales nouvelles. Portant le Livre d'une main, les croyants travaillaient de l'autre à édifier une société viable. À notre avis, c'est d'abord au niveau du vécu des croyants que s'est établi un ajustement, un équilibre entre le Livre et les conditions historiques ambiantes. Dans une démarche réflexe, la Communauté a fait un «retour» sur ce vécu que son instinct d'assimilation sélective avait mis en place. Le travail prodigieux des experts a permis d'expliciter, de justifier et de systématiser, au niveau de la pensée, la relation que l'instinct des croyants avait établie, au niveau des faits, entre le Livre et l'environnement historique. C'est ainsi que se sont graduellement cristallisés, au rythme du vécu, les grands «relais» (Loi, «théologie», soufisme) qui devaient, pendant des siècles, véhiculer l'emprise du Livre sur les croyants.

Au cours de la période moderne, le caractère absolu et définitif qu'on avait attribué à ces relais a été contesté et relativisé à la fois sur le plan doctrinal par les mouvements de réforme prémodernistes, modernistes et fondamentalistes, et sur le plan des faits par la modernisation des pays musulmans. Tandis que les mouvements de réforme redonnaient au Livre et au Prophète une primauté qui avait parfois été voilée par les «relais», le vécu des croyants s'ajustait progressivement aux exigences de la vie moderne, par une sorte d'instinct dans lequel on retrouve certains traits de l'assimilation sélective et créatrice des premiers siècles.

Comme celui des premiers siècles, le processus actuel d'ajustement est lent. Il semble dominé tantôt par des forces «séculières» venues de l'extérieur, tantôt par une réaffirmation vigoureuse du sentiment religieux. Mais l'emprise du Livre se fait sentir, d'une façon souvent confuse mais réelle, sur le vécu des croyants. Reste à savoir si cet ajustement au niveau du vécu sera suivi d'une démarche réflexe — à peine ébauchée par les modernistes — visant à expliciter, à justifier et à systématiser en des «relais» cohérents la relation que l'instinct des croyants établit actuellement entre le Livre et le vécu des musulmans modernes.

Bibliographie sommaire

Introduction, référence

ARKOUN, Mohammed, *L'Islam, religion et société,* Paris, Éditions du Cerf, 1982.

GARDET, Louis, *L'Islam, religion et communauté,* Paris, Desclée, 1978.

LEWIS, Bernard, éd., *L'Islam d'hier à aujourd'hui*, Paris, Elsevier/Bordas, 1981.

SOURDEL, Dominique, *L'Islam,* Paris, PUF, («Que sais-je?», nº 355), 1968.

Encyclopédie de l'Islam, Leyden, Brill, 1re édition, 1913-1942 (2e édition en cours).

Encyclopaedia Britannica (15e édition, 1984), article «Islam» et corrélats.

Encyclopaedia Universalis (en français), article «Islam» et corrélats.

1. Le prophète Mohammed

BLACHÈRE, Régis, *Le problème de Mahomet. Essai de biographie critique du fondateur de l'Islam,* Paris, PUF, 1952.

GABRIELI, Francesco, *Mahomet,* Paris, Albin Michel, («Le Mémorial des siècles», VII), 1965.

GAUDEFROY-DEMOMBYNES, M., *Mahomet,* Paris, Albin Michel, («L'évolution de l'humanité», 11), 1969.

RODINSON, Maxime, *Mahomet,* Paris, Le Seuil, («Politique», nº 17), 1968.

WATT, W. M., *Mahomet, prophète et homme d'État*, Paris, Payot («PBP», nº 13), 1962.

2. Le Coran

BLACHÈRE, Régis, *Le Coran,* Paris, PUF («Que sais-je?», nº 1245), 1966 (introduction au Coran).

BLACHÈRE, Régis, (trad.) *Le Coran,* Paris, G.- P. Maisonneuve, 1957 (traduction suivie d'un index des thèmes).

JOMIER, Jacques, *Les grands thèmes du Coran,* Paris, Centurion, 1978.

MASSON, Denise, (trad.) *Le Coran,* Paris, Gallimard, Bibliothèque de la Pléiade, 1967 (introduction, traduction, index des thèmes). Également disponible dans la collection «Folio», Paris, Gallimard, 1980, 2 tomes.

3. L'Islam dans l'histoire

BROCKELMANN, C., *Histoire des peuples et des États islamiques,* Paris, Payot, 1949.

LEWIS, Bernard, *Les Arabes dans l'histoire,* Neufchâtel, La Baconnière, 1958.

MANTRAN, Robert, *L'expansion musulmane,* Paris, PUF («Nouvelle Clio», nº 20), 1969.

Historiens arabes: pages choisies, traduites et présentées par J. SAUVAGET, Paris, Librairie d'Amérique et d'Orient, 1988.

4. Tradition et lois islamiques

CHARLES, Raymond, *Le droit musulman,* Paris, PUF («Que sais-je?», n° 702), 1956.

GIBB, H. A. R., *La structure de la pensée religieuse de l'Islam,* Paris, Larose, 1950.

GOLDZIHER, I., *Le dogme et la loi de l'Islam,* Paris, Geuthner, 1958.

GRUNEBAUM, G. E. von, *L'Islam médiéval,* Paris, Payot, 1962.

5. Philosophie, «théologie» et mystique

ANAWATI, G.-C., et GARDET, Louis, *Introduction à la théologie musulmane. Essai de théologie comparée,* Paris, Vrin, 1948.

——, *Mystique musulmane. Aspects et tendances — Expériences et techniques,* Paris, Vrin, 1961.

CORBIN, Henri, *Histoire de la philosophie islamique,* Paris, Gallimard, («Folio-essais», n° 39), 1986.

MOLÉ, Marijan, *Les mystiques musulmans,* Paris, PUF, 1965.

SÉROUYA, Henri, *La pensée arabe,* Paris, PUF («Que sais-je?», n° 915), 1967.

VITRAY-MEYEROVITCH, Eva de, éd., *Anthologie du soufisme,* Paris, Sinbad, 1978.

6. La Communauté musulmane

CHELHOLD, Joseph, *Introduction à la sociologie de l'Islam,* Paris, Besson-Chantemerle, 1958.

GARDET, Louis, *La cité musulmane. Vie sociale et politique,* Paris, Vrin, 1961.

LEVY, Reuben, *The Social Structure of Islam,* Cambridge, Cambridge Univ. Pr., 1962.

7. Islam et monde moderne

Du Pasquier, Roger, *Le réveil de l'Islam,* Paris/Montréal, Cerf/Fides («Bref»), 1988.

Gibb, H.A.R., *Les tendances modernes de l'Islam,* Paris, Maisonneuve, 1949.

Iqbal, Muhammad, *Reconstruire la pensée religieuse de l'Islam,* Paris, Librairie d'Amérique et d'Orient, 1955.

Lewis, B., *Le retour de l'Islam,* Paris, Gallimard, 1985.

Risler, Jacques C., *L'Islam moderne,* Paris, Payot («PBP», nº 50), 1963.

Smith, Wilfred C., *L'Islam dans le monde moderne,* Paris, Payot, 1962.

Index 1
Citations du Coran

Index 2
Termes techniques, noms propres, thèmes

N.B.: Caractères gras = passages plus importants; v. = voir; v.a. = voir aussi.

LISTE DES CARTES

LISTE DES TABLEAUX

TABLE DES MATIÈRES

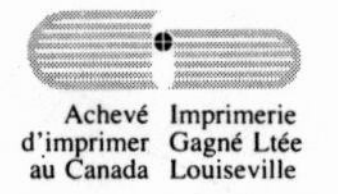
Achevé d'imprimer au Canada
Imprimerie Gagné Ltée Louiseville